KV-702-263

JAMIE CAMPLIN MARIA RANAURO

Le LIVRE *dans le* TABLEAU

Une histoire picturale de la lecture

Op den dach der kerck wijdin
Evangelium Luce xix Cap

PAGE I : Cette gravure que l'on pense être de la main d'Albrecht Dürer jeune et qui représente un « fou de livres » a été paradoxalement publiée dans l'ouvrage qui s'est sans doute le plus vendu en Europe entre la fin du XVe siècle et le début du siècle suivant : *La Nef des fous*, le livre satirique de l'humaniste Sébastien Brant (1494).

PAGE 3 : Dans plusieurs toiles de Félix Vallotton dont ici *La Bibliothèque* (1921), les livres servent d'accessoires décoratifs et permettent à l'artiste d'explorer les contrastes entre tons sourds et plus éclatants.

PAGE 4-5 : Gérard Dou, *Vieille Femme lisant* (détail), v. 1630. Voir p. 95.

REMERCIEMENTS

Les auteurs tiennent à remercier pour leur créativité et leur professionnalisme Sophy Thompson, directrice des publications de Thames & Hudson ; Mark Ralph, leur éditeur méticuleux ; Lisa Ifsits, graphiste patiente et talentueuse ; Susanna Ingram, chargée de fabrication d'une compétence impressionnante.

L'édition originale de cet ouvrage a paru chez Thames & Hudson Ltd, Londres en 2018.

Publié en France par Thames & Hudson Ltd, Londres en 2018.

Direction artistique : Lisa Ifsits
Traduction française : Anne Levine

Cet ouvage mis en pages par Thames & Hudson a été reproduit et achevé d'imprimer en juillet 2018 par l'imprimerie C&C Offset Printing Co. Ltd pour Thames & Hudson Ltd.

Dépôt légal : 4e trimestre 2018
ISBN 978-0-500-02247-4
Imprimé en Chine

SOMMAIRE

Préface 9

Partie I

POURQUOI LES ARTISTES AIMENT-ILS LES LIVRES ?

13

CHAPITRE 1 · Comment tout a commencé 15
CHAPITRE 2 · Qui a inventé « l'artiste » ? 25
CHAPITRE 3 · Les cultures de cour et leurs ramifications 35
CHAPITRE 4 · « Les gens sont farcis à la lecture » 41
CHAPITRE 5 · Les livres et la peinture de la « vie moderne » 49
CHAPITRE 6 · Les choses subsistent 63

Partie II

LA PEINTURE « EST COMME UN LIVRE… [QUI A BESOIN DE] DÉVOILER SES RICHESSES »

71

GALERIE 1 · La parole de Dieu 73
GALERIE 2 · « L'amour du livre » et la maison 107
GALERIE 3 · Plaisirs éternels en extérieur 159
GALERIE 4 · « Tout ce que les hommes considèrent comme sage » .. 197

Notes 247 · Liste des illustrations 250
Index 254

PRÉFACE

Imaginez une scène triste et désolée : des soldats russes morts ou blessés jonchant un champ de bataille de la guerre de Crimée. Il existe un seul objet qu'un pillard serait presque certain de trouver dans les besaces de chacune des funèbres silhouettes : un livre, source de consolation et de réconfort pour tous ceux dont la vie était en danger[1].

Cet ouvrage ne s'intéresse pas seulement à ce réconfort mais aux racines d'un phénomène plus surprenant en notre XXIe siècle obsédé par l'innovation : la façon dont une méthode particulière de communication n'a cessé, malgré sa réputation d'archaïsme, d'alimenter la créativité. Bertolt Brecht a un jour affirmé avec véhémence que « la réalité change ; afin de représenter cela, les modes de représentation doivent changer ». Ce qui était populaire par le passé ne l'est plus ; les gens d'aujourd'hui ne sont pas ceux d'hier[2]. Dire que le goût et la mode évoluent relève bien sûr du truisme mais « le livre » a réussi à défier l'affirmation de Brecht depuis 2000 ans sans qu'il ne passe jamais pour un outil de communication démodé. Il s'est intéressé au Baroque, à Barbizon et au Bauhaus, sans oublier bien sûr Brecht.

L'écriture, sans l'invention de laquelle il n'y aurait pas de livres, a été vénérée dès ses débuts. Les Égyptiens, dont le mot désignant l'écriture hiéroglyphique peut se traduire par « parole divine », croyaient qu'elle leur avait été transmise par une déesse ; les Chinois pensaient qu'un dragon était venu du Paradis avec des caractères sur son dos. Les premiers livres firent l'objet d'une estime particulière. Sur le fronton de la Grande Bibliothèque d'Alexandrie fondée en 3000 av. J.-C. on pouvait lire l'inscription « la nourriture de l'esprit », ou, selon Diodore de Sicile, « l'officine de l'âme »[3]. Et l'on ressent une tristesse incommensurable quand, de nombreux siècles plus tard, à la fin du poème de Victor Hugo « À qui la faute ? » extrait du recueil *L'Année terrible* (1871), le communard qui a procédé à la destruction d'une bibliothèque parisienne réagit par un lapidaire « Je ne sais pas lire » au long hommage quasi délirant au livre qu'il vient d'entendre[4].

Les livres sont « les meilleurs des amis, aujourd'hui comme pour toujours », écrit Martin Tupper dans *Proverbial Philosophy* en 1838. Dans ses mémoires publiés en 1938 et intitulés *This Was Home*, Hope Summerell se souvient avec acuité que soixante ans plus tôt, assise sur le porche de sa maison de Caroline du Nord, elle s'était retrouvée prisonnière du Lapin blanc d'*Alice au pays des merveilles*. Les livres ont été un véritable pilier pour d'innombrables générations d'enfants aux prises avec la difficulté de grandir. Pour l'artiste Samuel Palmer, ils ont même surpassé le fidèle compagnon de l'homme, le chien. Lors de ses promenades à la campagne, il les préférait à son bull terrier pourtant « pas mal-aimé », car « Milton ne gigotait jamais, ne faisait pas peur aux chevaux, ne poursuivait pas les moutons ou ne se faisait pas renverser par un fourgon de marchandises[5] ».

Comme l'a dit l'écrivain et prêcheur américain Henry Ward Beecher en 1876 – année du centenaire de la Déclaration d'indépendance –, les livres demeurent « les éléments essentiels de la vie » face aux innombrables changements de régime, de croyance, de goût et de technologie. Quand Clarissa Harlowe, l'héroïne tragique inventée en 1748 par Samuel Richardson – auquel le *New Yorker* consacra en 2016 un article titré « L'homme qui créa le roman » – est représentée par le peintre Charles Landseer en 1833, elle apparaît totalement désespérée, emprisonnée pour dettes mais armée d'un livre – un objet certes petit mais d'une grande substance[6].

Leigh Hunt écrivait dans un article du *Literary Examiner* en 1823 que les livres étaient « si petits » mais qu'ils étaient aussi « si complets » – « si légers, mais aussi si durables, si négligeables mais aussi si respectables[7] ». Et quand les artistes les utilisaient comme de simples accessoires, ils étaient également parfaits dans ce rôle.

Dans cet ouvrage, nous allons entreprendre d'explorer l'histoire protéiforme et incroyablement longue des livres, les différentes façons dont les artistes les ont représentés – et les raisons qui les ont poussés à le faire. Cela équivaut d'une certaine façon à raconter toute l'histoire de l'art occidental, ou même du monde occidental, depuis un angle particulier. Il sera donc certes beaucoup question de bonheur et de satisfaction mais aussi de tous les autres sentiments humains. Dans la toile *Past and Present, No. 1* (1858) d'Augustus Leopold Egg, une épouse est prostrée aux pieds de son mari qui vient d'apprendre qu'elle l'a trompé ; sur une chaise le château de cartes de sa fille est sur le point de s'effondrer et en dessous se trouve l'objet de

---

LA CORRESPONDANCE ÉTROITE entre l'art, la littérature et la vie est à l'œuvre dans ce portrait qu'Ilya Repin – le Tolstoï de l'art russe – a peint de son ami Vsevolod Mikhailovich Garshin (1884). Garshin, dont le père et le frère s'étaient suicidés, mettra fin à ses jours quatre ans plus tard.

la culpabilité et de la corruption, du moins selon les moralisateurs de l'époque : un roman de Balzac[8].

Il y a beaucoup à dire sur ce que la représentation des livres en peinture révèle de l'attitude des hommes envers les femmes. Prenons l'exemple de Ruskin qui expliquait dans une de ses lettres que la femme adultère telle que représentée chez Egg était une proie facile pour tout « faux aristocrate avec moustache » et que ses lectures habituelles – les romances historiques du prolifique William Harrison Ainsworth – lui interdisaient toute compréhension de la subtilité balzacienne[9].

Livres et œuvres d'art ont très souvent joué un rôle civilisateur majeur mais cela ne signifie pas que l'harmonie et l'équilibre ont toujours régné entre art et littérature. Beaucoup d'opinions extrêmes ont été exprimées au cours des siècles : Ruskin, jamais avare de points de vue hauts en couleurs, prétendait que les grands écrivains avaient le pouvoir de s'« auto-annihiler » de sorte que quand on écoutait les lamentations du roi Lear, on n'entendait pas Shakespeare. Mais il accusait les artistes de n'utiliser leurs sujets que comme de « simples thèmes permettant de mettre en valeur leur pouvoir[10] ».

Les différences nationales ou régionales dans la peinture et le roman ont joué également un rôle important. Les artistes français et anglais ont été par exemple très peu en contact pendant les quatre siècles précédant le séjour du peintre Théodore Géricault à Londres dans les années 1820 ou la présentation de la *Charrette de foin* de Constable au Salon de Paris de 1824[11].

Les livres apparaissent dans presque tous les genres picturaux de tous les pays – à l'exception bien sûr des scènes de guerre où ils étaient dissimulés dans les besaces criméennes ou encore sauvaient les vies des soldats des guerres civiles anglaises protégés des balles grâce aux bibles qu'ils gardaient dans leurs poches[12]. Étant donné le lien étroit entre les livres et ce qui fait de nous des êtres civilisés (la littérature de la haine exceptée), entre la civilisation et ce qui fait de nous des hommes, un être humain est en général aussi présent sur la toile. Les portraits ne sont pas toujours honnêtes mais s'ils incluent des livres, alors la partie de la toile où ils apparaissent, elle, ne ment jamais. On ne trouve pas bien sûr des livres que dans les portraits : les paysages, la peinture d'histoire, les scènes religieuses, celles de la vie quotidienne en regorgent aussi. Et ne parlons pas des natures mortes où ils sont en général accompagnés d'autres objets importants de notre vie.

L'influence des livres est omniprésente dans notre histoire et leur représentation – discrète mais déterminée – est omniprésente dans l'art.

Cherchons maintenant à comprendre comment et pourquoi cela s'est-il produit.

Partie I

POURQUOI *les* ARTISTES AIMENT-ILS *les* LIVRES ?

CHAPITRE 1

COMMENT *tout a* COMMENCÉ

NOUS SOMMES EN 1438 et cet été-là Johannes Gutenberg est un homme inquiet. L'idée au départ était a priori excellente. Tous les sept ans, des milliers de pèlerins se pressent vers la grande capitale de Charlemagne, Aix-la Chapelle, pour bénéficier du pouvoir miraculeux de reliques parmi les plus sacrées de l'Église : le drap du Christ en croix, par exemple, ou le tissu dans lequel la tête blessée de Jean-Baptiste avait été enveloppée – reliques conservées dans le Marienschrein (ou sanctuaire de Marie) doré de la cathédrale et exposées aux fidèles pendant le pèlerinage.

Sur des gravures sur bois et des enluminures on peut voir les ardents pèlerins tenir des miroirs à bout de bras. Ces miroirs étaient en métal poli, et non en verre, et leurs propriétaires espéraient capter ainsi les rayons des reliques et rapporter leurs vertus à la maison. Les orfèvres d'Aix-la-Chapelle gagnaient bien leur vie grâce à la fabrication et la vente de ces miroirs mais ils étaient dépassés par le grand nombre de pèlerins. On pense que Gutenberg, considéré avant tout aujourd'hui comme l'inventeur de l'imprimerie en occident, était orfèvre de formation et qu'en partenariat avec d'autres investisseurs il fabriqua non pas quelques centaines mais des dizaines de milliers de miroirs, ce qui veut dire qu'il a dû employer une méthode au moins semi-mécanique.

Le projet s'est soldé par un échec. La peste est arrivée d'Italie et le pèlerinage a été repoussé. Les entrepôts de la ville étaient remplis non pas de livres invendus, comme le seront ceux de tant d'éditeurs héritiers de Gutenberg, mais de souvenirs sacrés invendus[1].

Les liens entre l'art, les artistes et les livres sont à la fois étonnamment étroits et variés. Les activités artisanales de Gutenberg puis son invention de l'imprimerie constituent un moment déterminant à partir duquel nous pouvons d'une part remonter dans le temps et étudier la symbiose qui existait entre artistes et livres non imprimés et d'autre part avancer dans le temps et observer les conséquences paradoxales de l'invention de l'imprimerie pendant cinq siècles.

Car l'arrivée de l'imprimerie a fait voler en éclats la relation directe entre l'artiste et le livre qu'il fabriquait (relation qui sera plus tard rétablie, en particulier à l'ère

---

LES DOMINICAINS, dont l'ordre mendiant fut fondé vers 1216, étaient connus pour leurs innovations scientifiques au Moyen Âge. Les lunettes, probablement inventées à Florence dans les années 1280, devinrent rapidement associées à la notion d'apprentissage. Elles furent représentées pour la première fois dans ce portrait de Hugues de Saint-Cher dans un scriptorium par Tommaso da Modena en 1352 – une des quarante parties d'un cycle de fresques consacré aux érudits dominicains. Il s'agit cependant d'un anachronisme puisque le théologien mourut en 1263.

moderne). Mais dans le même temps les livres ont joué un rôle clé pour les artistes en les aidant à établir leur identité ; puis ils finiront par être associés à une telle abondance de savoir, d'autorité, d'éducation et de divertissement qu'ils deviendront un sujet de prédilection pour de nombreux artistes.

Mais il nous faut d'abord répondre à deux questions. Comment et pourquoi la signification culturelle profondément établie des livres s'est-elle développée ? Et, plus fondamentalement, qu'entendons-nous par « livre » ? Le tyran grec Histiaeus a donné sans le savoir un bon conseil aux artistes d'aujourd'hui, dont certains ont transformé les livres en installations : ne négligez pas les humains. Il tatouait le cuir chevelu de ses messagers pour transmettre des messages secrets – secrets car les porteurs de missives ne pouvaient partir avant que leurs cheveux n'aient repoussé et recouvert les tatouages[2].

Bien sûr, même s'il s'agissait de communication – certes un peu lente pour nos goûts contemporains –, il n'était pas question de livre. Est-ce que les feuilles de palmier des Asiatiques reliées ensemble par du fil et accompagnées de texte écrit à l'encre, étaient des « livres » ? Même question à propos des tablettes mésopotamiennes en argile ?

Certains diront que non. Mais dans la tradition occidentale du moins, le choix du matériau sur lequel on écrivait et l'aspect du document qui en résultait allaient exercer une influence décisive jusqu'à l'avènement du numérique. Les feuilles de papyrus ont été utilisées pour la première fois dans la Vallée du Nil et le rouleau est devenu le support principal de présentation des données qu'elles contenaient. Dans une fresque de Pompéi représentant le boulanger Terentius Neo on voit celui-ci un rouleau à la main tandis que sa femme est sur le point d'écrire avec un stylet sur une tablette en cire[3]. On peut admirer plusieurs autres représentations de rouleaux à Pompéi. Rome a été à l'origine de l'essor du rouleau car elle cherchait à s'approprier les écrits pillés dans les bibliothèques grecques tout en développant sa propre littérature. Mais c'est le codex dans les premiers siècles de notre ère qui est véritablement à l'origine de notre histoire d'amour millénaire avec l'artifact culturel que nous appelons « livre ». Constitué de pages pliées et reliées ensemble, avec du texte sur les deux côtés de la feuille, il était pratique, portable, très maniable et ne dépendait pas d'une matière première en particulier[4].

En un sens, les seuls changements majeurs qui intervinrent lors des deux millénaires suivants furent les inventions qui aidèrent à accroître la distribution – en particulier l'imprimerie – et, de nouveau, la gamme de matières premières. Le parchemin, dont l'introduction est attribuée à Eumène II de Pergame (qui régna de 197 à 159 av. J.-C.), était plus lisse et avait une plus grande durée de vie que le papyrus. Finalement le vélin (de l'ancien français pour « veau ») fournit une surface encore plus fine. Le papier, matériau déterminant s'il en est, n'arriva que plus tard bien qu'en Asie des progrès remarquables aient précédé les développements occidentaux, d'abord avec le début du langage écrit utilisant des os et des écailles de tortue (puis de la soie) comme surface d'écriture. Le premier livre chinois, le « Soutra du diamant », date de 868 av. J.-C. Le papier a été inventé en Chine aux environ de 100 apr. J.-C. Aujourd'hui nous le tenons pour acquis mais le secret qui a entouré son invention et la valeur que lui a conférée l'Islam conquérant auraient dû donner à Pierre le Vénérable un indice sur le fait qu'il ne fallait pas forcément se méfier de tout ce qui était étranger. Cet abbé français du XIIe siècle enrageait contre cette substance faite de « morceaux de vieux sous-vêtements ou de joncs des marais orientaux et d'autres matériaux tout aussi ignobles[5] ». C'est aussi en Chine qu'a été inventée au IIIe siècle de notre ère une des premières formes d'imprimerie utilisant des blocs de bois sur du tissu. En Corée on a même retrouvé la trace de la première impression à caractères mobiles datant du début du second millénaire.

De fait le livre peut posséder de nombreuses significations dans toutes les civilisations : un objet physique, un ensemble de textes – parfois accompagnés d'images –, une œuvre d'art en soi et, pourrait-on conclure, une rencontre avec quelque chose de plus significatif que la pure expérience des choses. C'est en tant qu'objet matériel qu'il sert essentiellement notre propos car – comme nous le verrons – il nous aidera à comprendre pourquoi l'invention par Gutenberg de l'imprimerie à caractères mobiles allait revêtir beaucoup d'importance pour les artistes. Il nous permettra également de saisir la distinction entre artiste et artisan.

À l'époque qui est la nôtre, même si les preuves de la créativité permanente des artistes ne manquent pas, nous répondons à la question « que fabrique un artiste ? » par cette tautologie assumée : l'art est tout ce que nous disons qu'il est.

Cela n'a pas toujours été le cas. Avant Gutenberg, c'est au Moyen Âge, et plus particulièrement dans ses derniers siècles, que l'artiste et le livre – en parchemin, en vélin ou en papier – connurent leur premier âge d'or. Les artistes anonymes représentaient les livres parfois merveilleusement comme dans le folio 291v du *Livre de Kells*, où l'on voit le Christ tenir une reliure rouge avec des décorations en sergé, un mode de tissage caractérisé par des côtes obliques parallèles[6]. C'est l'homme d'État romain du VIe siècle Cassiodore qui, après avoir été au service du roi ostrogoth Théodoric le Grand, avait fondé l'école monastique qui allait ouvrir la voie à ces développements. Dans son ouvrage *Institutiones*, il encourageait la préservation et la transmission du savoir par le biais de la copie de textes à la fois religieux et laïcs[7]. Ce message eut beaucoup d'influence : un recueil de sermons du moine allemand bénédictin Haymon d'Halberstadt valait apparemment 200 moutons, 3 boisseaux de grains et quelques fourrures de marte selon l'une des comtesses d'Anjou. Les scribes et les enlumineurs dotaient les livres d'une grande force visuelle et les artisans, qui étaient tout autant des « artistes », les rendaient agréables au toucher grâce à l'utilisation de matériaux précieux, tels les bijoux, l'ivoire sculpté, les émaux, pour décorer les matières – le bois puis le cuir – dans lesquelles étaient fabriquées les couvertures.

Ce serait une erreur que de passer sous silence la période allant de la fin du premier millénaire à l'invention de l'imprimerie. Pendant ces quelques siècles les livres devinrent en effet, au sens le plus large du terme, un miroir du monde – *speculum mundi*[8]. On pourrait même avancer que le livre, créé par des artistes de toutes sortes, s'avançait à grands pas vers la destinée que l'imprimerie allait lui conférer. Des inventions pratiques n'y furent pas étrangères : titres de chapitre, paragraphes et index rendirent la lecture plus aisée et, dans le cas des lunettes, possible – comme le montre Tommaso da Modena dans son portrait du moine Hugues de Saint-Cher en 1352 (p. 14)[9]. Peu importe que les livres aient été parfois considérés comme des « accessoires de mode[10] » comme dans la généalogie enluminée des rois d'Espagne et du Portugal (1530–1534) créée par le miniaturiste flamand Simon Bening.

Les aristocrates pouvaient faire étalage de leur courtoisie, sophistication, foi et fortune grâce à leurs livres aux couvertures en cuir précieux, aux reliures ornées de pierres serties et aux illustrations rehaussées d'enluminures dorées.

La foi et le livre allaient parfaitement de pair. Ils cohabitent depuis des siècles sur la tombe d'Éléonore d'Aquitaine dans l'abbaye de Fontevraud, où l'effigie de la reine tient un livre ouvert[11]. Et pour les religions qui proscrivaient la représentation d'humains, des solutions ingénieuses furent trouvées : sur une haggadah allemande du XIVe siècle le visage du chantre installé au pupitre d'une synagogue a été remplacé par une tête d'oiseau[12]. L'Église chrétienne transmettait des messages symboliques à travers ses innombrables œuvres d'art. Parce qu'ils avaient vécu avant le Christ, les patriarches et les prophètes étaient représentés avec des rouleaux – un support considéré incontestablement comme inférieur, son contenu reflétant leur statut de pré-Chrétiens. Les évangiles étaient toujours placés sur des autels, ceux-ci symbolisant le Nouveau Testament. Le canoniste Guillaume Durand (v. 1230–1296), actif à Paris, en Italie et dans la Curie romaine, explicita ce symbolisme et ses origines dans son ouvrage *Rationale divinorum officiorum*. On ne s'étonnera pas que seize livres soient représentés dans le magnifique retable du Duccio, la *Maestà*, commandé par la ville de Sienne en 1308[13].

L'apprentissage est toujours demeuré une priorité dans les monastères pendant les périodes les plus sombres. Dans les scriptoriums où régnait un grand calme, les scribes s'attelaient à leur tâche minutieuse sur des feuilles de vélin pliées. Leurs textes étaient littéralement sacrés – la parole de Dieu – et il était naturel qu'ils soient ornés d'or et d'argent et de couleurs vibrantes et que leurs illustrations soient des miniatures peintes. Au fil du temps, des spécialités virent le jour – les copistes, les rubricateurs (qui travaillaient sur les initiales et les titres) et les enlumineurs exerçant des arts très distincts. Il existait même une sorte de papier calque, la *carta lustra*, qui permettait de faire des copies de motifs complexes[14].

Le livre était donc le moyen par lequel la Parole de Dieu pouvait être diffusée et il était au service de la hiérarchie ecclésiastique, une de ces structures de pouvoir dont les humains semblent avoir tant besoin. Bien avant l'imprimerie, marchands, avocats et autres membres de la bourgeoisie naissante contribuèrent aussi au développement du livre, son statut leur profitant autant qu'il profitait à la noblesse et à l'Église. Les traités sur les plantes et les récits vinrent enrichir la gamme des livres et les collections privées commencèrent à émerger véritablement au XIIIe siècle. À cette époque et aux siècles suivants les instances éducatives firent la promotion active du livre, et cela malgré les réticences des étudiants : sur une enluminure miniature de la fin du XVe siècle conservée à la Bibliothèque nationale à Paris on voit un enseignant sur le point de punir un élève qui a entre les mains une traduction française de la *Politique* d'Aristote (p. 21). L'usage des langues vernaculaires a par ailleurs accéléré le développement de l'éducation[15].

Grâce à sa taille et sa position dominante, Paris était assez riche et comptait assez d'habitants alphabétisés pour soutenir un nouveau secteur, celui de la production de manuscrits à la demande. Une étude minutieuse des relevés d'impôts des années 1290 montre que les libraires parisiens étaient concentrés rue Neuve Notre Dame, artère qui se situait à l'emplacement de l'actuel parvis de la cathédrale[16].

Les artistes lisaient-ils ? Nous avons très peu de documents prouvant que cela soit le cas, à part pour Ghiberti (1378–1455), créateur des portes dorées du baptistère de Florence[17]. Leur activité se professionnalisa grâce aux guildes mais la très grande majorité d'entre eux demeuraient des artisans anonymes. Ils étaient exclus des sept « arts libéraux » codifiés par le grammairien Martianus Capella au Ve siècle et qui comptaient entre autres la logique, la rhétorique et la géométrie. Quand, au XIIe siècle, Hugues de Saint Victor développa avec d'autres une analyse des « arts mécaniques » équivalents, la peinture n'était qu'une subdivision de l'*armatura* qui désignait la construction de maisons et d'outils. L'art, tel que nous le définissons aujourd'hui, était considéré comme très inférieur à la poésie, elle-même faisant partie de la rhétorique. Chez Dante (v. 1265–1321), l'*artista* pouvait tout aussi bien être un cuisinier qu'un artiste mais le poète chanta les louanges de Giotto dans son *Purgatorio*[18].

Les artistes restant des artistes quel que soit leur statut culturel, leur style personnel peut néanmoins parfois transparaître. Nous sommes loin du « divin » Michel-Ange du XVIe siècle mais dans son testament Jeanne d'Évreux, troisième épouse du roi de France Charles IV, désigne Jean Pucelle comme l'auteur des illustrations créées entre 1325 et 1328 pour son livre d'heures[19]. Et l'« artiste » répondant au nom de Maître Guglielmo était l'heureux bénéficiaire de huit florins d'or pour des enluminures commandées par Louis III de Mantoue pour sa nièce en 1469[20].

À partir de la moitié du XIIIe siècle et pendant trois cent ans, les livres de dévotions connurent un grand succès et ce sont les artistes, bien que majoritairement anonymes, qui jouèrent un rôle central dans la création de ces ouvrages qui deviendront les plus grands bestsellers de la fin du Moyen Âge. Grâce aux Vierges lisant leur livre d'heures dans d'innombrables Annonciations ou aux dames de la cour faisant de même, artistes et livres devinrent étroitement associés. On trouve certes des enluminures dès le VIIe siècle mais elles étaient loin d'être « dernier cri[21] », comme les a qualifiées avec originalité Keith Houston. Au XVe siècle, les livres fabriqués à la main attiraient sans aucun doute les meilleurs peintres de miniatures.

Le livre évolua également pour des raisons pratiques. Les nouvelles universités à partir du milieu du XIVe siècle ne pouvaient survivre sans les livres. En 1424, la bibliothèque de l'université de Cambridge renfermait 122 ouvrages. Et Dieu sait qu'ils étaient chers ! Néanmoins, une quantité étonnante de copies des œuvres d'Aristote – plus de 2000 – datant des XIIIe et XIVe siècles sont parvenues jusqu'à nous[22]. La redécouverte des classiques païens, grâce aux Grecs fuyant l'expansion ottomane dans la période qui mena à la chute de Constantinople en 1453, prit de l'ampleur, tandis que le questionnement de l'Église qui s'accéléra à l'approche de la Réforme alimenta la demande en livres.

Si on devait écrire une « histoire du monde en 100 matériaux », elle inclurait certainement le papier. Celui-ci arriva tard en Europe : la production locale débuta grâce à l'expansion de l'empire islamique au milieu du XIIe siècle avant de s'étendre à la France et à l'Italie où les moulins Fabriano allaient acquérir une grande renommée à la fin du siècle suivant[23]. Le papier était beaucoup moins cher que le parchemin, sans parler du vélin, et par ailleurs plus polyvalent. À la veille de l'invention de l'imprimerie, quiconque envisageant une production en masse – et voulant alimenter une machine qui le permettrait – pouvait s'en procurer facilement.

On ne s'attardera pas ici sur les détails techniques de l'invention de l'imprimerie. Et cela est pour le mieux puisque les preuves historiques sont très obscures. Il est peut-être discutable de dire qu'il s'agissait d'une invention qui ne demandait qu'à arriver mais la xylographie était utilisée par les fabricants de tabellaires et les artistes dans les décennies précédant la découverte capitale de Gutenberg. Cet artisan brillant doublé d'un entrepreneur ambitieux, pour ne pas dire cupide, opéra en grand secret et réussit à se brouiller avec ses associés ou financiers à plus d'une reprise. À l'époque du fiasco des miroirs, il vivait à Stuttgart mais on ne sait rien de l'étendue de ses expérimentations jusqu'à son retour dans sa ville natale de Mayence. On pense que ce qui est connu sous le nom de Bible de Gutenberg, produite vers 1455 et contenant trois millions de signes et 1282 pages, a été le premier véritable livre imprimé avec des caractères mobiles : une aventure très courageuse à tous points de vue.

Dans une histoire aussi complexe, personne n'est jamais totalement raisonnable mais le nom de Gutenberg a été écarté des livres d'histoire jusqu'aux temps modernes. Ce qu'il avait réalisé – on pouvait gagner de l'argent avec l'imprimerie – devint rapidement une réalité. Il n'était sans doute pas le seul mais il joua un rôle clé dans la production – relativement rapide et uniforme et avec un matériau, le métal, à la durée de vie plus longue – de textes et d'images imprimés. Il choisit par ailleurs des encres plus adaptées aux caractères en métal que les matériaux à base d'eau utilisés par les Chinois, tout comme les maîtres néerlandais firent bon usage de la viscosité de la peinture à l'huile qui allait finir par dominer l'art européen[24].

Gutenberg mourut en 1468, et à la fin du siècle on comptait presque 240 presses en Europe de l'Ouest. L'imprimerie a été le vecteur parfait des idées, informations et conseils pratiques les plus intéressants émis pendant cette grande ère de découvertes. Au début des années 1470 le théologien et humaniste Guillaume Fichet résuma parfaitement le phénomène dans une épître à son collègue humaniste Robert Gaguin qu'il accompagna d'un exemplaire du deuxième livre imprimé sur la première presse parisienne, celle de la Sorbonne. L'invention de Gutenberg « nous a donné, disait-il, des caractères avec l'aide desquels tout ce qui se dit ou se pense peut être immédiatement écrit, réécrit et livré à la mémoire de la postérité[25] ».

Et les artistes figurèrent parmi ceux qui bénéficièrent grandement de cette invention. Les ventes de gravures xylographiques sur papier étaient depuis longtemps florissantes mais l'imprimerie accrut la reconnaissance et la valeur des œuvres d'artistes individuels. Même si Dürer ou encore Titien utilisèrent la gravure sur bois de façon particulièrement créative c'était un médium sujet à l'usure et qui n'offrait pas la subtilité qu'un grand artiste pourrait exploiter. Par contraste, la fabrication d'estampes à partir de plaques de cuivre gravées – une invention que Vasari attribue, certains disent par erreur, à un orfèvre florentin du nom de Maso Finiguerra (né en 1426) – offrait beaucoup plus de possibilités[26]. L'Italien Marcantonio Raimondi (v. 1480–v. 1534) se spécialisa dans les gravures reproduisant des peintures et allait collaborer étroitement avec Raphael.

Comme cela a été le cas tout au long de l'histoire, de nouvelles opportunités étaient offertes aux artistes via des technologies adaptées aux besoins de l'homme. Mais ce qui advint après changea leur statut pour toujours.

COMBATTRE, CHANTER, DESSINER – ET LIRE : une éducation à la fin du XVe siècle. La lecture de la *Politique* d'Aristote (en haut à gauche), œuvre inconnue dans le monde arabe, était prescrite avec les autres textes de l'auteur par l'université de Paris dès le XIIIe siècle, mais sa traduction du latin en français au siècle suivant a ouvert la voie à sa vaste utilisation durant les premiers temps de l'enseignement humaniste à la Renaissance.

CHAPITRE 2

QUI *a* INVENTÉ « *l'*ARTISTE » ?

LA RENAISSANCE, au sens le plus fondamental du terme, allait être au service à la fois de l'artiste et du livre et créer un lien entre eux et notre histoire en marche qui, par bien des égards, ne s'est pas rompu depuis. L'humaniste et libraire florentin Vespasiano da Bisticci (1421–1498) a raconté comment les bibliothèques en étaient venues à être synonymes de richesse et de statut social. Le souverain d'Urbino Federico da Montefeltro (1422–1482) a été représenté maintes fois avec des livres, entre autres dans un célèbre portrait attribué à Joos van Wassenhove où il tient un codex dans ses mains, son fils à ses côtés[1]. C'était une façon judicieuse de montrer que c'était en particulier à travers les livres que les noms des dirigeants et grands hommes de l'Antiquité nous étaient parvenus.

L'artiste vénitien Vittore Carpaccio (années 1460 ?–v. 1526) a représenté des reliures et des miniatures de livres de prières avec une précision exquise dans sa *Vision de saint Augustin* (v. 1502). Les thèmes séculiers firent leur arrivée tard mais la notion de vie domestique est cependant loin d'être absente dans *L'Annonciation avec saint Emidius* (1486) de Carlo Crivelli où l'on distingue des livres, de la vaisselle, des tapis, des coussins ou encore un concombre. Une analyse des inventaires de succession à Valence en Espagne entre 1474 et 1550 a permis de découvrir que la présence de livres étaient mentionnée dans un tiers d'entre eux et si neuf ecclésiastiques sur dix en possédaient à leur mort, les aristocrates, marchands et même quelques paysans en détenaient aussi[2]. Les épouses étaient, comme depuis toujours, reléguées dans un monde à part ; le dédain patriarcal était apparent dans le cas de Camilla Bartalo, épouse d'un philosophe et médecin siennois, dont l'inventaire incluait en 1483 « un petit livre pour femmes[3] ».

Les artistes, même les plus grands, n'étaient pas tous attachés aux livres. C'était certainement vrai de Masaccio au début du XVe siècle mais il faut dire que, comme tant d'artistes, il ne montrait aucun intérêt pour tout ce qui ne touchait pas à son art[4]. À la toute fin du siècle, en 1498, les frères sculpteurs florentins Benedetto et Giuliano da Maiano possédaient 29 livres dont certains datant de l'Antiquité ainsi que des œuvres de Dante et de Boccace. Léonard de Vinci en détenait beaucoup plus – tout aussi bien de la littérature vernaculaire que des mathématiques ou de l'astronomie – mais il était loin d'être représentatif[5].

GIORGIO VASARI, QUI FIT plus que quiconque pour la création d'une histoire de l'art mettant l'artiste au centre de la scène et qui y parvint grâce à un livre – ses *Vies* – symbolisa sa propre démarche dans cet autoportrait intitulé *Le Lecteur* (v. 1542–1548). Dans la deuxième édition de son ouvrage se trouve un texte sur les Bellini, cette famille d'artistes du XVe siècle, dans lequel il se demande comment il était possible de ne pas « ressentir plaisir et contentement infinis » en voyant les « images de ses ancêtres ».

En fait Vinci pensait – comme on peut le lire dans ses carnets publiés pour la première fois en 1651 sous le titre *Trattato della pittura* – que la musique, la poésie ou encore l'histoire ne pouvaient rivaliser avec la peinture et expliquait cela par le fait que même si l'impact visuel de l'art était instantané, sa contemplation, elle, n'avait pas de limites dans le temps[6]. On pourrait dire en un sens qu'André Malraux s'inspira quelques siècles plus tard de cette idée quand il reproduisit dans *Psychologie de l'art* (1949) une fresque de Giotto, *La Résurrection de Lazare* (1304–1306), la tête en bas. Il pensait en effet que l'objet de son discours serait perdu de vue si le regard du lecteur allait directement à l'image[7]. À la Renaissance un obstacle à la lecture tomba pour ceux qui trouvaient l'écrit moins naturel que le visuel quand les humanistes prônèrent une écriture visuellement plaisante, même s'il s'agissait avant tout pour Pétrarque et ses amis de lutter contre la laideur et l'inaccessibilité gothiques.

Un changement de statut devait souvent paraître hors de portée pour les artistes. La plupart venaient de milieux humbles, Titien étant une exception notable. Ils devaient être membres d'une guilde et suivre un apprentissage strict. Mais du moins existait-il quelques signes encourageants quant à leur avenir. Giovanni Villani, chroniqueur de la Florence médiévale, dressa par exemple une liste distincte de peintres dès les années 1340. Au début du siècle suivant Cennino Cennini produisit *Il libro dell'arte* : il s'agissait avant tout d'un manuel mais on pourrait dire qu'il proposait un nouveau modèle pour l'artiste, la peinture et la sculpture étant considérées comme des arts libéraux. Leon Battista Alberti alla encore plus loin avec *Della pittura* (1436), publié à la fois en latin et en langue vernaculaire : il y élevait l'artiste et l'art de la peinture au rang de pouvoirs divins, les soumettait à des règles dérivées de la rhétorique et leur conférait une respectabilité intellectuelle.

Quand les humanistes redécouvrirent les textes de Pline l'Ancien sur le statut des artistes dans l'Antiquité et d'autres écrits en faveur de la peinture par des penseurs classiques tels que Galien ou Philostrate, une nouvelle reconnaissance de l'artiste vit enfin le jour. Peu importe que les artistes du monde classique – à l'exception peut-être de ceux de la Grèce du IVe siècle av. J.-C. – aient été considérés au mieux comme des artisans, ou que les grands empereurs mécènes de la peinture et de la sculpture n'aient jamais prôné l'admission de ces disciplines parmi les arts libéraux. Le fait que dans son *Ars poetica* le poète romain Horace ait proclamé qu'il existait un lien indéfectible entre peinture et poésie a inspiré à Bartolomeo Facio, un humaniste ligurien qui fut secrétaire d'Alphonse d'Aragon et mourut en 1457, la phrase suivante : « Une image n'est rien d'autre qu'un poème silencieux[8] ». Cette même idée avait de fait déjà été exprimée dans l'Antiquité par le poète Simonide qui déclara, selon Plutarque, que « la peinture est de la poésie muette et la poésie de la peinture parlante[9] ». Concluons que la grande réussite des artistes du monde ancien – et de ceux la période médiévale – résidait sans aucun doute dans leur production artistique et non dans la façon dont ils étaient considérés.

L'histoire de l'imprimerie, du livre et de l'artiste est nébuleuse mais elle ne l'est pas au point que nous échappe l'évolution fondamentale que constitua l'apparition d'un nouveau statut pour l'artiste. Ce statut était lié à l'invention du livre imprimé, mais plus spécifiquement à un livre en particulier : *Les Vies des meilleurs peintres, sculpteurs et architectes* de Giorgio Vasari publié pour la première fois en 1550.

Rien n'est jamais noir ou blanc dans le domaine historique. Le fait que le « Gutenberg chinois », Feng Dao, annonce en 932 l'impression de 150 volumes des écrits de Confucius ne minimise en rien l'influence de Gutenberg[10]. Qui plus est, les « révolutions » sont parcourues de périodes de stagnation qui n'affaiblissent nullement leur rôle décisif. Avant l'arrivée de l'imprimerie en occident, les scribes n'étaient pas indifférents au marché et à ce qui était populaire. Ajoutons même que l'imprimerie n'a pas forcément toujours apporté la richesse. À Ulm, Lienhart Holle fut dans les années 1480 parmi les nombreux imprimeurs à faire rapidement faillite malgré des clients laïcs fortunés[11].

Qui étaient les imprimeurs ? Certains avaient été à l'origine eux-mêmes scribes comme Peter Schoeffer en Allemagne ou Antoine Vérard en France, et avaient été fascinés par cette nouvelle « maitresse de tous les arts » cicéronienne. Johann Bämler à Augsburg apparaît dans les registres, y compris les siens, sous différentes appellations : *artifex* (artiste), enlumineur, *schreiber* (scribe) et, en 1477, *trucker* (imprimeur)[12]. Il se peut que certains des grands princes florentins aient ressenti au départ du mépris pour le livre imprimé mais le duc d'Urbino – malgré sa réputation à cet égard – a financé une des premières presses en 1482[13]. L'histoire des artistes, des livres et de la technologie est avant tout humaine ; elle est donc décousue ou – certains diront – magnifiquement hétéroclite.

L'influence positive de l'imprimerie ne peut être remise en cause. Si l'on étudie les parcours d'imprimeurs érudits des XVe et XVIe siècles, celui de Johann Weissenburger à Nuremberg est loin d'être atypique : il a étudié à l'université d'Ingolstadt avant de devenir prêtre, puis imprimeur de textes théologiques mais il a aussi, par le biais de l'imprimerie, encouragé les marchands de Nuremberg à créer des antennes à Lisbonne après la découverte par les Portugais de la route de l'Inde et l'affaiblissement de l'activité commerciale vénitienne[14]. Le texte dans lequel il le préconisait était en latin mais l'imprimerie améliora également la diffusion de textes en langue vernaculaire. Le pouvoir de ce nouveau médium a augmenté au fil des siècles. Isaiah Thomas, dans son *History of Printing in America* (1810), le compare à celui de la pierre philosophale[15].

Pendant longtemps artistes, écrivains et imprimeurs ont aussi continué d'explorer les questionnements fondamentaux à travers des textes théologiques. La Réforme tout autant que le sécularisme les ont puissamment encouragés. Martin Luther, dans ses écrits destinés aux dirigeants des États allemands en 1524, faisait du prosélytisme pour les « bonnes bibliothèques et librairies[16] ». Le protestantisme et l'imprimerie furent à l'origine du succès d'Holbein, de Cranach, de Dürer et de beaucoup d'autres artistes[17]. Le fait qu'en Allemagne l'imprimerie se développa dans un grand nombre de villes – où la Réforme était très présente – joua un rôle primordial. En Angleterre, où Londres dominait le secteur de l'imprimerie, l'effet se fit moins ressentir. Quant à la France, la réaction des catholiques face au protestantisme y fut vigoureuse[18]. Comme toujours, l'Europe n'avançait pas de façon unitaire mais il n'en demeure pas moins qu'un troisième phénomène vint naturellement rejoindre le protestantisme et l'imprimerie pour former un triumvirat : le progrès.

En 1500, les images, les mots et les chiffres pouvant désormais être reproductibles et interagir, un observateur perspicace de l'univers culturel aurait pu en déduire que quelque chose d'irréversible se profilait enfin à l'horizon pour les artistes et leur statut. Le facteur humain de ce changement inéluctable était précisément Giorgio Vasari. Son ami Paolo Giovio, lui-même auteur de textes sur Vinci dans les années 1420, suggéra que *Les Vies* rendrait son auteur immortel. Il ajoutait que le temps allait en revanche certainement ravager la beauté de sa toute nouvelle épouse et qu'il n'épargnerait pas non plus les peintures que Vasari venait d'achever à Naples[19]. La séduisante prédiction se révéla vraie pour Vasari mais aussi, l'histoire le montrera, pour les artistes sur lesquels il avait écrit.

Vasari était lui-même peintre et architecte. Il travailla en particulier au service du grand duc de Toscane Cosme de Médicis. La première édition des *Vies*, publiée en mars 1550, contenait les biographies de 142 artistes, de Cimabue à Michel-Ange, réparties en deux volumes et plus de mille pages. Vasari met en avant dans son épilogue et dans sa présentation au duc les dix années qu'il a consacrées à faire des recherches et à voyager. Les historiens de l'art ont débusqué dans le livre un grand nombre de sources non citées ou identifié le travail de multiples auteurs mais fallait-il attendre d'un auteur de la Renaissance qu'il se plie aux règles modernes du copyright et qu'il fasse preuve d'honnêteté intellectuelle ? Tout l'intérêt du livre réside dans son influence. Il était drôle, captivant, informatif ; il maniait la propagande avec brio et c'était un livre.

L'ouvrage contenait quelques informations pratiques mais Vasari opposa une fin de non recevoir à un correspondant flamand, Dominicus Lampsonius, qui lui demandait d'ajouter des instructions détaillées, soulignant que l'ouvrage était consacré aux gens, aux artistes, à leur vie, à leurs réussites[20]. Il ne l'a pas exprimé en ces termes mais Vasari a véritablement créé une forme de culte de la célébrité qui allait revêtir une grande importance pour la suite de l'histoire de l'art occidental.

La deuxième édition augmentée des *Vies* (1568) contenait également les portraits gravés de tous les artistes sauf huit pour lesquels aucune image n'avait survécu. Les hommes d'Église affirmaient que l'on pouvait reconnaître un pécheur aux traits de son visage et les humanistes que la personnalité transparaissait derrière l'image mais en conférant une apparente authenticité à ses sujets par le biais de portraits – réels ou présumés –, Vasari ne faisait qu'adopter une approche prisée des portraitistes – qui, comme nous le verrons, incluaient souvent un livre dans leurs toiles – jusqu'à nos jours.

Les liens de Vasari avec l'écriture et le monde littéraire revêtirent également une grande importance pour l'avenir. Plus de mille lettres de Vasari nous sont parvenues, adressées à des écrivains, aristocrates, hommes d'affaires, hommes d'Église (dont six papes)[21]. Ce corpus rivalisait, tout du moins dans sa variété, avec celui des dieux de la littérature de son époque qu'étaient Pétrarque ou l'Arétin, tous deux nés comme lui à Arezzo en Toscane[22]. À la Casa Vasari, à Arezzo, se trouve justement une toile de Vasari intitulée *Le Lecteur* (v. 1542–1548, p. 24) et dans *Six Poètes toscans* (1544) qui lui avait été commandé par son ami Luca Martini, il représente – encouragé par Bronzino, un autre ami – quelques grandes figures toscanes dont Pétrarque, Boccace et Dante, un livre à la main et pointant un autre du doigt. Deux autres livres sont posés sur la table devant eux[23]. Rien d'étonnant à ce qu'Annibale Caro, figure littéraire par excellence du XVIe siècle italien, à qui Vasari avait fait lire des extraits de la première édition des *Vies* avant publication, l'ait félicité de s'être aventuré dans la « profession d'un autre[24] » : le peintre était devenu écrivain.

Il était inévitable que l'art connaisse sa culmination triomphante à la Renaissance. Ce qui avait commencé un peu par hasard lors d'un diner au Palazzo Farnese[25], raconte Vasari, se révéla comme étant en fait le merveilleux début d'une toute nouvelle ère pour les artistes – et pour les livres. Mais les vraies révolutions tendent, malgré leur réputation, à ne pas être instantanées et la plupart des artistes continuèrent de venir de l'artisanat ou d'autres domaines des ordres inférieurs tandis que les écrivains étaient généralement issus des élites. Selon Le Comte de Laborde dans *La Renaissance des arts à la cour de France* (1850), les artistes de la cour française du XVIe siècle étaient à peine considérés comme des « varlets de chambre[26] ».

Qui plus est, bien que l'importance de Vasari pour les artistes allait s'avérer essentielle, tout portait à croire immédiatement après l'arrivée de l'imprimerie que ceux-ci avaient perdu un de leurs rôles, celui de créateurs de l'objet livre. En tant que médium à part entière, le livre semblait posséder des handicaps irrémédiables. Les collectionneurs ont doté les premiers livres d'une grande valeur monétaire et les typographes en ont loué la grande qualité esthétique mais il a fallu attendre le XXe siècle et un grand artiste comme Georges Rouault pour célébrer la noirceur pure de ces premiers livres grâce aux illustrations sur lesquelles il ne cessa de travailler pendant 15 ans pour *Réincarnations du Père Ubu* d'Ambroise Vollard (1932). Le résultat final reflétait de nouveaux progrès techniques puisqu'il s'agissait de gouaches photographiées sur des plaques d'imprimerie puis retravaillées à l'aquatinte, l'eau forte et la pointe sèche[27].

Dans la seconde moitié du XVe siècle, l'image céda (dans le livre) la place au texte. Chaque couleur devant être imprimée séparément, il était beaucoup trop cher de reproduire les ouvrages créés à la main avec beaucoup de couleurs. Certains imprimeurs laissaient un espace vide pour les initiales ornées qui seraient plus tard imprimées en couleurs mais le plus souvent les graveurs découpaient des blocs d'initiales en relief pour les imprimer en noir[28]. Il serait donc erroné de penser que durant ces premiers temps la raison pour laquelle les artistes incluaient des livres dans leurs toiles était parce qu'ils considéraient ce médium comme étant idéalement adapté à leur pratique artistique.

C'est Albrecht Dürer (1471–1528) qui montra ce qui pouvait être accompli sur un format limité grâce à une technique et une inventivité hors pair. Alors qu'il avait une vingtaine d'années il produisit très certainement des gravures sur bois illustrant le *Das Narrenschiff* (La Nef des fous) de l'humaniste Sébastien Brant à la demande de l'imprimeur et éditeur bâlois Johannes Bergmann. Au moins l'une des gravures représentait des livres quoique de manière peu flatteuse. Sur le frontispice du livre apparaissait en effet le Büchernarr, ou « fou de livres », symbolisant la folie qui peut s'emparer d'un érudit passant sa vie au contact des livres (p. 1)[29].

Dürer était le fils d'un orfèvre de Nuremberg mais aussi le filleul d'Anton Koberger, un homme qu'Elizabeth Eisenstein, spécialiste de l'histoire culturelle de l'imprimerie, décrit comme « le plus grand entrepreneur du secteur du commerce de livres imprimés au XVe siècle ». Dürer était donc lié à Gutenberg par le biais de la profession de son père et au monde en pleine évolution du livre par son parrain qui détenait aux environs de 1470 vingt-quatre presses à Nuremberg. Dürer possédait certainement des livres, dont des pamphlets de Luther et les *Éléments* d'Euclide. On sait également qu'il a acheté dix livres à un certain Bernhart Walter en 1523. Il finira par apporter un démenti utile à l'idée selon laquelle le texte avait dorénavant l'absolue priorité sur l'image dans le livre. Ses merveilleuses séries de gravures sur bois – *Apocalypse*, *La Grande Passion* et *La Vie de la Vierge* – ont en réalité d'abord été publiées sous forme d'estampes pendant un peu plus d'une dizaine d'années à partir de 1498. Il collabora ensuite étroitement avec l'imprimeur officiel de Maximilien Ier[30].

Comme l'a crument observé Elizabeth Eisenstein, à quelques exceptions près « les conditions entourant la culture de la copie [avaient] tenu le narcissisme en échec[31] ». Désormais, même le portrait fidèle d'un artiste – du moins d'un artiste vivant – qui était évidemment une composante importante de son identité, pouvait être gravé. Grâce à l'imprimerie et au livre imprimé l'artiste n'était plus prisonnier de cette image de simple « pourvoyeur de marchandises » pour reprendre l'expression d'Anthony Blunt ; il était désormais « un individu face à un public[32] ». Les germes d'une relation positive entre artiste et livre imprimé étaient plantés et cette relation s'exprimerait le moment voulu par le biais de milliers de peintures lors des siècles suivants.

Vasari ne faisait bien sûr pas l'unanimité. La copie des *Vies* ayant appartenu aux frères artistes bolognais Agostino, Annibale et Ludovico Carracci est remplie d'annotations manuscrites dont une traitant Vasari de « merdeux[33] ». Les historiens de l'art n'ont pas non plus toujours été tendres avec Vasari, sa vision de l'artiste en tant qu'héros leur étant, surtout de nos jours, très étrangère. L'amour de soi alimenté par les louanges des autres était un nouveau concept très répandu à Renaissance, et il n'est pas surprenant que Vasari ait été beaucoup imité en Italie – par exemple par Carlo Ridolfi dans ses *Meraviglie dell'arte* (Merveilles de l'art) à Venise au siècle suivant. Certains artistes pratiquèrent par ailleurs de leur côté l'autobiographie – citons Michel-Ange, Benvenuto Cellini ou le sculpteur florentin Baccio Bandinelli[34].

Nationalisme et régionalisme pouvaient aussi entrer en ligne de compte : Vasari fit par exemple l'éloge des Toscans ou Arnold Houbraken celui des maîtres néerlandais. Le *Het Schilderboek* (Le Livre du peintre) de Karel van Mander exerça une influence importante après sa publication en 1604. Dans cet ouvrage – un des rares livres possédés par Rubens –, Van Mander avançait que c'était par le biais de Dürer que l'Allemagne avait « perdu sa noirceur ». Nous savons que Dürer lui-même envisageait de publier un ouvrage substantiel sur la peinture vers 1512 et que les textes écrits pour ce projet rendent un vibrant hommage à des artistes l'ayant précédé[35].

L'œuvre de Vasari et de ses acolytes eut des répercussions pendant plusieurs siècles. Dans la préface de son *Text-Book of the History of Painting* publié en 1894 le professeur John C. Van Dyke conseillait tout simplement aux étudiants qui voulaient connaître « la vie des peintres » de se procurer Vasari[36]. La technologie renforça cette approche : *Life of Michel Angelo* d'Herman Grimm, publié par Smith, Elder & Co. à Londres en 1865, arborait en frontispice une reproduction photographique d'un portrait représentant l'artiste conservé au Vatican. Il est cependant assez amusant de noter que les historiens de l'art et les éditeurs semblaient être les seuls peu

CHAPITRE 3

Les CULTURES DE COUR *et leurs* RAMIFICATIONS

NOUS AVONS QUITTÉ LES ARTISTES ET LES LIVRES à la fin de la Renaissance alors qu'ils étaient prêts à exercer une grande influence sur la société et qu'ils étaient unis dans une relation extrêmement positive. Pendant le XVIe et le XVIIe siècles, qui furent turbulents à bien des égards, l'interaction artiste-livre se fit plus discrète. Les données concernant les livres en Europe révèlent des situations inégales mais si, comme on l'a vu au chapitre précédent, il y avait des livres dans un foyer sur trois à Valence en Espagne, il y en avait dans un sur deux à Canterbury en Angleterre en 1620[1].

Nous savons très peu de choses sur les bibliothèques des artistes au-delà de leur taille. Rembrandt, qui a représenté des livres dans beaucoup de ses œuvres, en avait apparemment peu : une Bible, le texte de Dürer sur les proportions et quelques « livres d'art » qui étaient en réalité des estampes reliées qui lui servaient de documentation. Dans le plus ancien portrait du Greco qui nous soit parvenu se trouve un livre – les *Heures Farnèse* enluminé vers 1571 par le sujet même de la toile, Giulio Clovio. Dans son autoportrait à la fois envoutant et dépouillé, *Autoportrait en saint Luc* (v. 1602–1606), maintenant dans la sacristie de la cathédrale de Tolède, le motif principal est un livre imposant. Le Greco demanda en 1614 à son fils de faire l'inventaire de sa bibliothèque – sans doute assez typique et renfermant majoritairement des ouvrages qu'il consultait pour ses œuvres complexes aux sujets religieux, mythologiques ou historiques[2]. Velázquez possédait une collection bien plus diverse, allant de la philosophie à l'hydraulique mais contenant aussi des ouvrages de Castiglione (toujours aussi influent) et des classiques romains traduits en langue vernaculaire. L'« amoureux des lettres et des sciences » qu'était l'artiste génois Domenico Parodi (1672–1742) dépensa quant à lui tous ses revenus pour acquérir quelque sept cents livres rares[3].

L'époque étant aux grandes cours princières, celles-ci devinrent le centre de l'univers pour de nombreux artistes baroques. Les guildes furent remplacées par les princes. Ces monarques affectionnaient les images qui transpiraient le pouvoir et l'autorité par tous les pores de la toile. Les livres n'avaient pas disparu mais leur présence se faisait plus discrète dans la cacophonie engendrée par la célébration des grandes victoires. Le contenu des livres faisait également preuve de discrétion

---

LES APPARENCES SONT TROMPEUSE DANS le portrait que Velázquez fit du bouffon Diego de Acedo (v. 1645). À première vue, on pourrait penser que le peintre cherchait à ridiculiser ce personnage de la cour de Philipe IV d'Espagne, la taille du livre – attribut traditionnel du gentilhomme – venant accentuer sa petitesse. Mais Velázquez confère un air de dignité sereine à son sujet, Don Diego étant à la fois un érudit et un gardien du sceau royal.

mais leur apparence était très souvent opulente avec des reliures créées dans des cuirs luxueux décorés de métaux précieux. À partir des années 1650 on pouvait parfois admirer sur la tranche de certains ouvrages une peinture qui apparaissait non pas quand le livre était fermé mais quand on disposait ses pages en éventail. Les écrivains et artistes demeuraient cependant des serviteurs, cherchant à devancer les goûts des monarques et à égayer les belles princesses. L'image était-elle égale au mot ? Les opinions étaient partagées. En Angleterre, dans « The Parallel of Poetry and Painting » (1695) – la préface de sa propre traduction d'un poème latin –, John Dryden réaffirma la théorie selon laquelle les poèmes étaient semblables à des toiles silencieuses et les toiles à de la poésie lue à haute voix[4].

L'imprimerie permit peu à peu aux livres d'exercer une nouvelle influence. Le livre et la peinture continuèrent d'entretenir une relation intime avec la religion en tant que sujet et celle-ci joua un rôle important dans l'alphabétisation. Ce qu'on appelle parfois « Seconde Réforme » en Allemagne, pendant laquelle les piétistes prônèrent à partir de la fin du XVIIe siècle l'étude du contenu de la Bible, eut par exemple un effet remarquable pendant le siècle suivant sur l'alphabétisation des paysans de l'est de la Prusse[5]. La pédagogie anglaise du XVIIe siècle, avec ses « hornbooks » (ces planches en bois dotées d'une poignée sur lesquelles étaient montées des pages de texte) qui introduisaient à la lecture, ainsi qu'à la Bible et à d'autres textes religieux, s'exporta quant à elle en Amérique. Entre 1690, année de sa première publication, et 1830, on pense qu'il s'est vendu entre six et huit millions d'exemplaires du premier manuel de lecture intitulé *The New-England Primer*[6]. La religion a aussi contribué à augmenter la valeur des livres. La somme léguée par John Osgood d'Andover, dans le Massachusetts, en avril 1650 pour « acheter un coussin afin que le pasteur puisse y poser son livre » était si élevée que le coussin couta plus de trois fois plus cher que la bible elle-même[7].

Les choses évoluèrent également en matière d'éducation mais à un rythme très lent. Et cela se reflétait dans la peinture. *Le Maître d'école* (v. 1663–1665) de Jan Steen met en scène un enseignant sur le point de donner un coup de cuiller à un garçon en pleurs[8]. La gamme des sujets abordés dans les livres s'élargit pendant la période baroque mais le temps où ils tiendraient un rôle central dans toutes les classes sociales et deviendraient un élément naturel dans la composition d'une toile, était loin d'être venu. Ni les nobles ni les érudits n'étaient intéressés par le partage du savoir avec le plus grand nombre et les marchands ou les avocats ne considéraient pas les événements de leur vie privée aussi dignes d'intérêt que leurs faits d'armes professionnels.

Vingt ans après avoir survécu à la Guerre de Trente ans (1618–1648), l'écrivain allemand Grimmelshausen charma un large public avec ses *Aventures de Simplicius*

Simplicissimus, mais Fénelon (1651–1715), qui devint archevêque de Cambrai en 1695, était loin de verser dans le populisme quand il déclara : « Si toutes les couronnes de tous les royaume de l'Empire étaient déposées à mes pieds en échange de mes livres et de mon amour de la lecture, je les refuserais toutes dédaigneusement[9]. » Fénelon fut le précepteur du fils ainé du Grand Dauphin, Louis, duc de Bourgogne – celui-ci inspire la pitié dans le portrait que fit de lui Alphonse de Neuville au XIXe siècle où il apparaît mal à l'aise, livre et plume au sol, sermonné par son mentor.

Les librairies connurent un essor tout aussi lent. Selon le chroniqueur allemand Adrian Beier en 1690, les marchands de tissu étaient capables de faire la distinction entre production et consommation mais les vendeurs de livres étaient à la fois producteurs et – en tant qu'érudits – consommateurs[10]. La présence de trois librairies à Piacenza en 1631, dotées qui plus est d'un fonds qui n'était pas uniquement religieux ou local, est sans doute à relever mais c'était loin d'être une révolution[11]. Quant aux femmes, elles devaient selon Juan Luis Vives, qui était attaché à la cour de Catherine d'Aragon dans les années 1520, prendre garde aux romances comme à des « serpents », ce qui donna le ton pour les siècles à venir[12].

Il était un genre pictural dans lequel le livre tenait un rôle déterminant. Beaucoup de choses sont bien plus anciennes qu'on ne le croit : on retrouve une nature morte – ou *Still-leven* en néeerlandais, *Stillleben* en allemand et *still life* en anglais – dès 1337–1338 dans les fresques de Taddeo Gaddi abritées dans les niches de Santa Croce, à Florence[13] ; ce genre existait même dans le monde classique bien qu'aucun exemple ne nous soit parvenu. Au XVIIe siècle, la notion de mortalité menacée par l'arrivée de l'imprimerie (cette grande préservatrice) était en besoin de renouvellement. C'est ainsi que dans les natures mortes connues sous le nom de vanités, le crâne en vint à symboliser l'aspect éphémère de la vie, le sablier l'injonction de passer le temps à bon escient et les livres le caractère temporaire du savoir humain.

Dans *Nature morte avec livres* (v. 1627–1628) de Jan Lievens, les livres sont réduits à de simples reliures ; ils sont vidés de leur substance même. Dans *Allégorie de la vanité* (1660, page ci-contre) de Juan de Valdés Leal, un putto souffle une bulle de savon en direction du traité de Vicente Carducho, *Diálogos de la pintura*. Les accomplissements de l'homme réduits à néant…

Néanmoins les livres n'auraient pas été présents s'ils n'étaient pas importants ; et le fait de couronner le crâne de laurier (symbole de la résurrection) et de l'entourer de livres était peut-être une façon de suggérer que, après tout, si la vie n'était pas éternelle, les trouvailles de l'intellect l'étaient.

DANS LA TOILE *L'Allégorie de la vanité* (1660) de Juan de Valdés Leal, un crâne repose sur un exemplaire d'un livre du père Juan Eusebio Nieremberg consacré à la distinction entre le temporel et l'éternel. Que ce soit les bijoux, pièces de monnaie et jeux d'argent ; la couronne et la tiare papale représentant le pouvoir exercé par l'homme ; et même les livres – *Las Repúblicas del mundo* de Jéronimo Román mais aussi *Diálogos de la pintura* de Vicente Carducho –, tout perd son sens au moment du Jugement dernier représenté sur la toile à l'arrière-plan.

CHAPITRE 4

« *Les* GENS *sont* FARCIS *à la* LECTURE »

Le XVIIIe siècle ne fut pas seulement le temps des Lumières et des révolutions. « Ici les gens sont farcis à la lecture comme des oies », écrit Luise Mejer, demoiselle de compagnie de la comtesse de Stolberg dans le duché de Holstein, à un ami en 1784[1]. Hubert Robert (1733–1808) représente la grande figure intellectuelle des Lumières Madame Geoffrin au petit-déjeuner. : un valet a abandonné son balai pour lui faire la lecture – une affectation inédite pour un domestique[2]. Johann Gottlieb Fichte (1762–1814), qui était le fils d'un fabricant de rubans issu de plusieurs générations de paysans et l'un des pères fondateurs de l'idéalisme allemand, rapportait en 1805 que grâce à la professionnalisation du métier d'écrivain, la lecture avait pris la place de tous les autres passe-temps à la mode pendant les cinquante années précédentes[3]. Le terme de « mode » était bien choisi : Rousseau ne compare-t-il pas dans *La Nouvelle Héloïse* (1761) les lecteurs rationnels et consciencieux de sa ville, Genève, aux Parisiens qui lisent beaucoup ou plutôt ne font que parcourir des livres afin de s'en imprégner[4].

Ce siècle vit la bourgeoisie remettre de plus en plus en question le contrôle exercé par l'État et l'Église sur le cerveau du peuple mais les choses n'évoluèrent pas de la même façon partout. Les censeurs zurichois interdirent la traduction du *Paradis perdu* de Milton en 1732 car ils le considéraient comme dangereux mais le *Robinson Crusoé* de Daniel Defoe (1719), dont les lecteurs étaient selon l'auteur de « classe moyenne », fut un bestseller européen – trois traductions parurent en Allemagne dans l'année qui suivit sa publication[5]. La vision bourgeoise du temps – selon laquelle une place pouvait être allouée dans la journée à toute activité, y compris la lecture – y fut pour beaucoup tout comme les auteurs de fiction eux-mêmes qui, dans une relation au lecteur pour ainsi dire tangible, permettaient aux classes moyennes de se reconnaître dans leurs écrits tout en se divertissant. La *« Leserevolution »*, la révolution de la lecture, fut même encouragée par une partie du clergé protestant, ce qui ne fit qu'aider à la promotion de Defoe ou Samuel Richardson.

Richardson, pourtant si typiquement anglais, fut l'objet de louanges débridées de la part de Diderot et des autres philosophes français. La vertu féminine menacée,

---

LES LIVRES SONT OMNIPRÉSENTS, dans ce portrait grandeur nature de Madame de Pompadour (1756) par François Boucher où elle n'apparaît pas en simple maîtresse du roi Louis XV mais en véritable intellectuelle. Le livre qu'elle tient à la main est protégé d'une simple couverture car il est de toute évidence destiné à être lu et non à impressionner. Le philosophe Claude-Adrien Helvétius rencontra une grande hostilité quand il proposa d'instituer l'égalité intellectuelle entre les hommes et les femmes, mais l'éducation apportée par les livres allait finir par lui donner raison.

comme dans *Pamela* (1740) ou *Clarissa* (1748), était un thème intrigant. Le dramaturge italien Carlo Goldoni adapta *Pamela* pour le théâtre[6] et on ne s'étonnera pas que Joshua Reynolds ait représenté sa nièce dans une toile intitulée *Theophila Palmer Reading 'Clarissa Harlowe'* (1771)[7]. On ne peut s'empêcher cependant de penser qu'une des raisons pour lesquelles le peintre avait choisi « Offy » – tel était le surnom de sa nièce préférée – tenait au fait qu'elle avait, selon l'écrivaine Fanny Burney, « le visage le plus agréable » même si elle n'avait pas la même « compréhension » que sa sœur ainée. Mais nous pouvons voir qu'elle apprécie son livre à la façon très insouciante dont elle traite sa reliure.

C'était aussi une période durant laquelle, par l'un de ces paradoxes dont l'histoire a le secret, la professionnalisation des métiers d'écrivain et d'artiste alimenta un intérêt du public amateur pour les expositions, les collections, la critique artistique et littéraire. Certes ce sont les membres de l'élite qui ont commencé à décorer de toiles et de livres les murs des salons de leurs belles demeures mais comme le peintre et essayiste d'origine suisse Henry Fuseli qui s'intéressait particulièrement à la peinture littéraire l'écrivit en 1788, les lecteurs étaient aussi devenus des spectateurs[8]. Fuseli lui-même était arrivé à Londres en mars 1764 à l'orée de ses 20 ans, désirant faire de la littérature son métier et c'est Reynolds qui plus tard l'encouragea à étudier l'art en Italie.

Fortement influencé par son compatriote Johann Jakob Bodmer et ses tentatives de résurrection de la littérature allemande par le biais de la redécouverte de la littérature anglaise, Fuseli traduisit des pièces de Shakespeare en allemand. Mais c'est Milton qui devint sa principale obsession : sa Gallery of the Miltonic Sublime ouvrit ses portes sur Pall Mall à Londres en 1799 avec 47 toiles (ce ne fut pas un succès : les artistes, comme les éditeurs et les écrivains, sont souvent enclins à abuser d'un genre[9]).

En France, l'abbé Charles Batteux avait ouvert la voix en 1746 à l'acceptation des beaux arts comme catégorie à part entière grâce à son traité *Les Beaux-Arts réduits à un même principe*. Les auteurs de l'*Encyclopédie* (1751–1772) qui avaient pour ambition de présenter le savoir du monde entier firent beaucoup pour la reconnaissance des activités des artistes et des sculpteurs. Montesquieu quant à lui ne remettait pas en cause l'existence des « beaux arts » dans son *Essai sur le goût* (il nota également dans *Pensées diverses* que l'amour de la lecture transformait les « heures d'ennui » en « heures délicieuses »). Enfin, en 1816, les académies royales de peinture et sculpture, de musique et d'architecture furent regroupées au sein d'une même entité, l'Académie des Beaux Arts[10].

La façon dont les femmes étaient représentées en peinture à cette époque comme à d'autres, et quel que soit le pays, est particulièrement révélatrice. Au mieux, le sujet féminin marque-t-il la page d'un livre avec son doigt comme Emily, duchesse de Leinster – une femme pourtant aux centres d'intérêt multiples – dans le portrait qu'a fait d'elle Reynolds (1753) : l'érudition ne semble pas être ici le sujet à moins qu'elle ne soit symbolisée par l'imposant volume sur lequel la duchesse repose son bras. Le portraitiste écossais Allan Ramsay a représenté la même Emily plongée dans la lecture d'un large volume, mais les deux artistes ont tous deux fait de son mari un personnage bien plus impressionnant. Reynolds l'a représenté, majestueux, devant sa demeure irlandaise, Carton House, et Ramsay telle une figure martiale avec son uniforme rouge. Rien dans les portraits de son épouse, de son vrai prénom Emilia, ne laissait apparaître qu'elle était extrêmement impliquée à la fois dans la vie publique de son mari et dans la gestion de leur domaine[11].

Au XIXe siècle, ni l'homme ni la femme ne sortiront grandis quand les artistes chercheront à refléter l'évolution des codes moraux. Le peintre non-conformiste Samuel Colman représenta dans *St James's Fair* (1824) une scène de marché où parmi les nombreux personnages un garçon fait la lecture à sa mère mais on distingue également des prostituées dans l'image. À l'étalage du bouquiniste, ni la Bible ni *On Slavery*, le poème écrit par Hannah More en 1788, n'ont l'heur de plaire au client qui jette son dévolu sur le *Racing Calendar*[12].

Au siècle précédent, la représentation des femmes avait évolué : on était passé des bonnes manières et de la discrétion de la *Liseuse* de l'artiste français Alexis Grimou (1678–1755) – qui lui-même ne fit pas preuve de bonnes manières envers ses collègues artistes – à une vision moins bienveillante dont on peut trouver une explication chez l'essayiste Vicesimus Knox (1752–1821) qui avançait que l'« affection sentimentale » – du type de celle que l'on pouvait trouver dans les romans de Richardson – n'était « que de la luxure déguisée[13] ».

Les artistes représentaient souvent les femmes envahies par les émotions décrites dans les romans qu'elles étaient en train de lire, ce qui impliquait qu'elles étaient soit aisément influençables, soit écervelées, ou les deux à la fois. Le regard érotique de l'artiste mâle et de son public était par ailleurs toujours plus ou moins explicite comme en témoignent en particulier les toiles de Pierre-Antoine Baudouin (1723–1769), élève et gendre de François Boucher qui exposa au Salon dans les années 1760 mais qui était « un peu libertin » selon Diderot. Dans *La Lecture* (v. 1760, p. 106), tous les livres « sérieux » sont cantonnés vers la gauche tandis que la guitare et le petit chien à droite représentent peut-être les plaisirs peu exigeants « adaptés » aux femmes. Au centre, devant un paravent bloquant la porte, une femme vautrée sur sa chaise est en train de laisser tomber d'une main un roman tout en insérant l'autre dans sa robe afin de s'adonner à la masturbation[14]. Dans une version encore plus crue de cette œuvre, *Le Midi*, qui fait partie d'une série de gravures créées par

Emmanuel de Ghendt, la scène se déroule dans un jardin : le roman est tombé sur le sol et une ombrelle gît abandonnée sur le côté[15].

La percée du roman au XVIIIe siècle a néanmoins bouleversé l'univers du livre et a fourni un grand nombre de sujets de société aux artistes. En 1745, à la demande de la princesse héritière de Suède – la prussienne Louise Ulrique –, Chardin peignit deux toiles, l'une représentant une femme penchée sur les livres de comptes de sa maison et l'autre la même femme tenant une autre sorte de livre sur ses genoux[16]. La progression du livre se fit ressentir encore plus profondément dans la société – un sujet d'inquiétude pour certains qui pensaient avec un soupçon d'exagération que la lecture était devenue une addiction (*Lesesucht*) ou une obsession (*Lesewut*)[17].

Les catalogues de la Foire du livre de Leipzig nous apprennent qu'en 1650, 41% des livres étaient consacrés à la théologie et que 71% étaient en latin. En 1740, les chiffres étaient respectivement de 31% et 27%[18]. Il existait de grandes disparités entre les régions catholiques et protestantes. Au milieu du XVIIIe siècle, dans les villes luthériennes telles que Tübingen une très grande proportion d'inventaires incluaient des livres, contrairement à Paris qui était catholique. Dans l'Amérique puritaine, les livres ont tenu depuis le début un rôle central dans la vie familiale. Si le *Bay Psalm Book*, le premier livre imprimé en Amérique en 1640, a connu 24 éditions en 90 ans, *Robinson Crusoe* en a connu 44 entre sa première apparition sur ce territoire en 1757 et la fin du siècle[19]. À l'époque de l'Indépendance, il y avait plus de livres anglais en Amérique que dans toute l'Europe. L'*American Spelling Book* (1783) de Noah Webster constitua l'un des nombreux signes précurseurs du rôle essentiel qu'allaient tenir les livres dans le Nouveau Monde – et de leur importance en tant que sujets pour les artistes[20].

Cette progression du livre pouvait se mesurer dans bien des domaines au XVIIIe siècle. La première bibliothèque de prêt berlinoise fut créée dès 1704 et elle fut suivie par beaucoup d'autres, tout du moins dans les régions protestantes du centre et du nord de l'Allemagne. On observa une situation similaire en Grande-Bretagne où tout débuta à Édimbourg en 1725[21]. La qualité de fabrication des livres était généralement élevée, signe du statut nouveau du livre, mais ce n'était pas du goût de tous, en particulier du libraire et critique suisse Johann Georg Heinzmann qui affirmait à la fin du siècle que ce n'était qu'une façon de masquer la vacuité de certains auteurs[22]. Le nationalisme déclencha quant à lui la créativité dans le domaine de la typographie : l'Italie eut son Giambattista Bodoni, la France son François Didot[23].

De par son rôle pionnier en matière de marketing et de distribution, l'Allemagne se retrouva à la pointe dans le domaine du commerce du livre. Un véritable gouffre sépare Christoph Gottlieb Nicolai, éditeur de la période baroque, de son fils Friedrich, actif à l'époque des Lumières. Ce dernier, à la fois éditeur, libraire, critique et auteur, contribua à façonner le marché et à répondre aux besoins des consommateurs. Entre 1759 et 1811, il publia quelque 1100 volumes – de théologie mais aussi des manuels, des ouvrages de science, de technologie, des guides de voyage et des romans.

Il n'a pas toujours été populaire comme en témoigne l'épigramme de Goethe et Schiller : « Aussi peu que vous ayez fait pour l'éducation des Allemands / Fritz Nicolai, vous vous êtes enrichi en le faisant ». Nicolai était certes adepte des querelles mais c'était parfois pour de bonnes raisons comme lors de son conflit avec Heinzmann qui s'attaqua aussi à Goethe et Schiller ainsi qu'à toute l'élite littéraire de Berlin et du nord rationaliste. Dans *Appell an meine Nation: Über die Pest der deutschen Literatur* (1795, Appel à mon pays – sur la peste que constitue la littérature allemande), Heinzmann se plaignait du trop grand nombre de livres publiés, du fait qu'ils empêchaient les gens de penser par eux-mêmes et qu'ils ne montraient aucun respect ou intérêt pour le passé. Cette obsession pour la lecture débouchait selon lui sur « l'hypersensibilité, provoquait rhumes, maux de tête, problèmes de vision, inflammations, goutte, arthrite, hémorroïdes, asthme, apoplexie, maladies pulmonaires, problèmes digestifs, constipation, troubles nerveux, migraines, épilepsie, hypocondrie et mélancolie ». Pour dire les choses de façon plus mesurée, il semblerait que la propagation des livres dans toutes les sphères de la société fut dans l'ensemble bien accueillie en France, en Angleterre et aux États-Unis mais que dans les lands allemands, les élites se sentaient menacées par Nicolai et ce qu'elles considéraient comme une vague de superficialité[24].

Rien ne semblait pouvoir venir freiner la marche effrénée des livres. En 1796, le pasteur d'Erfurt Johann Rudolf Gottlieb Beyer déclara qu'« aucun amoureux du tabac ou du café, aucun buveur de vin ou joueur, ne peut être autant dépendant de sa pipe, de sa bouteille, de ses cartes ou de sa table de café que ces lecteurs affamés le sont de leur addiction à la lecture[25] ». En France, la gigantesque salle de lecture utopique imaginée – mais jamais réalisée – pour la Bibliothèque royale par l'architecte Étienne-Louis Boullée en 1785 et qui devait permettre selon lui de conserver et étudier tout le savoir du monde ressemblait à une basilique. Le caractère sacré des bâtiments religieux était transféré au livre[26]. Kant édicta le truisme suivant en 1798 : la « lecture » est devenue « un besoin presque indispensable et général[27] ». Dans *Le Bon Genre* (1817), une série de gravures satiriques décrivant la bourgeoisie parisienne, on trouve une illustration très parlante intitulée « Luxe et pauvreté » : une femme est allongée sur un lit dans une pièce aux murs tristes et dénudés, ses vêtements de luxe – et son livre – à ses côtés[28]. Dans une des deux toiles créées par Chardin pour la princesse héritière de Suède, la femme est installée sur une bergère et porte une liseuse : un meuble et un vêtement tous deux conçus pour un monde rempli de livres.

ÉLISABETH VIGÉE LE BRUN a dû lutter pour se frayer un chemin en tant que femme dans un monde artistique très masculin, et ce sans pouvoir compter sur l'aide de son père, le peintre portraitiste Louis Vigée, qui mourut lorsqu'elle n'avait que douze ans. Les critiques furent divisés à ses débuts : son travail était de bon goût et vif mais ne privilégiait-il pas trop un charme léger aux dépens de la réalité ? Son portrait de Marie Antoinette en 1778 fit disparaître tous les doutes sur sa carrière. Au moment de la création de ce portrait de la vicomtesse de Vaudreuil en 1785, la capacité de l'artiste à traduire le raffinement – le livre en étant un symbole naturel – n'était plus à démontrer.

CHAPITRE 5

Les LIVRES *et la* PEINTURE *de la* « VIE MODERNE »

LE XVIIIe SIÈCLE s'est certes achevé par une révolution et un Napoléon menaçant mais livres et artistes, à leur manière discrète, n'avaient pas dit leur dernier mot. Bientôt, il serait des plus naturels pour Carker, l'homme d'affaires sans scrupules de *Dombey et Fils* (1848) de Dickens, de décorer sa demeure de somptueux livres reliés et de leurs « compagnons » – estampes et peintures –, sa mort sur des rails de chemin de fer reflétant par ailleurs un nouveau cadre fictionnel pour les suicides, meurtres et autres accidents[1]. Écrivains et artistes, mais aussi clients, sortaient dorénavant des rangs des classes moyennes. Une fois la bourgeoisie dotée de sa propre littérature, il n'y avait qu'un pas à franchir pour qu'elle ait son propre art.

Les livres remplissaient de nombreux rôles – divertir et éduquer au début du XIXe siècle puis exposer de plus en plus les valeurs et vertus bourgeoises. Pendant les périodes d'incertitude et de doute qui marquèrent la fin du siècle, ils se révélèrent réconfortants et rassurants. Souvent ils endossaient tous ces rôles à la fois et les peintres de l'époque l'exprimèrent sur la toile littéralement et symboliquement.

Les mécènes étaient de plus en plus issus – selon le *Art Journal* en 1869 – des « franges les plus riches de la classe moyenne[2] ». Le collectionneur d'art Benjamin Godfrey Windus était l'un de ceux qui appréciaient le lien naturel qui existait entre livres et art. La bibliothèque de sa maison de Tottenham Green, dans le nord de Londres, a été représentée dans une aquarelle de John Scarlett Davis de 1835. C'est dans cette pièce dont les murs étaient ornés de Turner que Ruskin a effectué ses recherches en vue de l'écriture du premier volume des *Peintres modernes*. Dans l'aquarelle, deux des petits-enfants de Windus admirent d'autres œuvres dans un album devant un mur tapissé de toiles et de livres.

Windus ne fut ni le premier ni le dernier collectionneur à chercher à influer sur le marché de l'art : cet entrepreneur qui avait des amis bien placés dans de nombreux domaines d'activité possédait 650 dessins de David Wilkie et mit en vente une grande quantité d'entre eux juste après la mort de l'artiste en 1841[3]. Wilkie avait représenté de nombreux sujets dont toutes sortes de livres. Dans *The Cotter's Saturday Night* (1837) on peut voir un patriarche faire la lecture à sa famille attentive ;

VAN GOGH RENCONTRA POUR LA PREMIÈRE FOIS madame Ginoux en mai 1888 quand il logea dans le café qu'elle tenait à Arles avec son mari. Des six portraits intitulés *L'Arlésienne*, celui-ci – peint à l'asile de Saint-Rémy-de-Provence en 1890 – appartint à Albert Aurier dont l'article dans le *Mercure de France* en janvier de la même année avait été le premier à prendre Van Gogh au sérieux. Sur la table on distingue les livres de deux des auteurs préférés du peintre : *La Case de l'oncle Tom* de Harriet Beecher Stowe et, dessous, *Contes de Noël* de Charles Dickens.

dans *The Rent Day* (1807) l'artiste s'intéresse à un fermier âgé et à son fils mais cette fois-ci le livre est un relevé de loyers et le régisseur est en conflit avec ses métayers.

Au XIXe siècle, les romanciers s'intéressèrent aux mêmes sujets que les peintres de « la vie moderne » – pour reprendre l'expression de Baudelaire. En France, les nouveaux paysages urbains étaient des décors idéaux pour les histoires d'amour, de pouvoir et d'argent contées par Balzac ou Zola. En Allemagne, on passa de 4 505 nouveautés en 1821 à 31 281 en 1910 ; cette même année, on publia 13 470 livres aux États-Unis, 12 615 en France et 10 804 au Royaume-Uni [4]. L'ampleur du changement dans une Amérique si vaste fut particulièrement impressionnante. Rappelons que la nouvelle de la mort de George Washington en 1799 avait mis presque un mois à parvenir à Frankfort, dans le Kentucky[5]. En 1825 les mémoires de Catherine Brown, une Indienne cherokee convertie au christianisme, connurent un tel succès qu'ils furent réimprimés huit fois en l'espace de sept ans (sur le frontispice, on la voyait allongée sur son lit de malade avec pour fidèle compagnon un livre)[6].

Les États-Unis se distinguèrent rapidement, on ne s'en étonnera pas, par leur façon efficace de satisfaire tous les publics. Dans la collection « Railway Classics » publiée par l'éditeur G. P. Putnam dans les années 1850, on pouvait trouver la satire de Washington Irving sur la culture new-yorkaise datant du début du siècle, *A History of New-York* (1809), pour la modique somme de 50 cents. La collection d'incunables – ces livres imprimés avant 1500 – du magnat des chemins de fer Henry E. Huntington surpassait probablement toutes les autres : un bon indicateur du fait que la société moderne était autant attachée au livre que celle d'autrefois.

Les libraires devinrent des sujets d'intérêt pour les artistes. Tout d'abord, leur enthousiasme était dénué de tout cynisme comme en témoigne le titre de la lithographie de Daumier de 1844, *Un bouquiniste dans l'ivresse*[7]. Et qu'en était-il des « nouveaux » médiums ? *Le Crayon de la nature* de William Henry Fox Talbot, publié en plusieurs parties entre 1844 et 1846, fut le premier livre illustré par des photographies, dont l'une représentait… des livres[8]. Les natures mortes s'étaient donc échappées de la toile pour rejoindre une nouvelle forme artistique, la photographie, malheureusement sans grand succès commercial – les ventes modestes de chaque nouveau volume allant s'amenuisant. En 1889 le fabricant français de papiers peints Isidore Levy créa un papier peint illustré de livres de Jules Verne, Cervantès et Walter Scott[9].

Le phénomène touchait-il essentiellement les classes moyennes ? Ce n'était plus le cas à la fin du siècle, et même souvent avant. En 1865 l'historienne écossaise Catherine Laura Johnstone décrivit l'intérieur de la maison d'un vieux paysan russe infirme où six à huit petits-enfants sont « absorbés par leurs livres ». Le « barbarisme, la paresse et l'ignorance » attendus sont démentis par la présence de l'*Histoire de l'État russe* de Nikolaï Karamzine et les *Mémoires* de l'homme politique et diplomate français Bourrienne[10]. Au Royaume-Uni environ 70% des hommes (contre 55% des femmes) savaient lire et écrire en 1850 ; en Allemagne le taux était de 88% pour toute la population[11].

Le peintre réaliste François Bonvin représenta la diffusion de la lecture parmi les classes sociales les plus pauvres dans *Au banc des pauvres* (1864), avec ses deux femmes aux coiffes blanches sans doute sans-abris, ainsi que dans *La Servante indiscrète* (1871). Ces deux œuvres sont de facture moyenne, marquées par l'influence des maitres hollandais, mais elles sont déterminantes en ce qu'elles représentent des sujets de milieu modeste concentrés sur leur activité de lecture. Dans *Petit-déjeuner de grand-mère* du même artiste, un grand livre est posé sur les genoux d'une vieille femme, son petit-déjeuner relégué à l'arrière-plan. Les travailleurs représentés par Edgar Bundy dans *The Night School* (1892) sont presque tous plongés dans la lecture ; le seul qui semble distrait doit être en train de rêver à l'avenir que pourrait lui offrir l'éducation[12]. La vie dans les hospices, telle qu'elle est représentée par Hubert von Herkomer dans *Eventide : A Scene in the Westminster Union* (1878), consiste certes pour les résidents âgés à boire du thé et peut-être à coudre mais deux des personnages lisent – une vieille femme assise par terre a un livre sur les genoux et on distingue à l'arrière-plan une autre lectrice[13]. Il semblerait que les genoux aient été faits pour les livres à moins que ce ne soit l'inverse.

En janvier 1866 le journal cubain *La Aurora* rapportait que le propriétaire d'une usine de cigares avait encouragé les séances de lecture sur le lieu de travail, pensant que cela inciterait ses ouvriers à travailler et que les livres seraient « la source d'amitiés durables et de grande distraction ». Malheureusement l'expérience tourna court car le gouverneur de Cuba pensait lui que les livres étaient des dangers politiques[14]. Ce qui arriva en Amérique après la guerre de Sécession fut plus déterminant, bien que trop limité : Dickens, Shakespeare et Louisa May Alcott n'étaient peut-être pas des plus convenables pour Ida B. Wells, une jeune fille de dix-huit ans, fille d'esclaves du Mississipi et future militante des droits civiques, quand elle allait à l'école en 1880, mais c'était sans doute un bon début. L'enseignant et militant noir américain Booker T. Washington décrit dans *Up from Slavery*, son autobiographie de 1901, la passion de sa génération pour l'éducation, l'écriture et la lecture[15]. Et alors que *The New Novel* (1877, p. 182-183) de Winslow Homer montrait l'humeur insouciante (du sujet et non de l'artiste comme nous le verrons plus tard) dans laquelle la lecture pouvait plonger les classes moyennes blanches, son *Sunday Morning in Virginia* de la même année représente trois enfants noirs captivés et même envoutés par la lecture qu'on leur fait d'un livre[16].

En France, alors que l'éditeur Michel Lévy fut le premier à publier des livres bon marché pour les classes moyennes ou les écrits d'auteurs prolifiques tels que Victor

Hugo, George Sand ou Charles Augustin Sainte-Beuve, la parution en feuilletons de romans à sensations diversifia l'origine sociale des lecteurs. Calmann Lévy, frère de Michel, encouragea ce phénomène et en 1872 leur maison publia plus d'un millier de titres nouveaux ou de rééditions. Même si dans le monde occidental l'éducation se propageait à un rythme extrêmement lent pour les classes sociales les moins favorisées, les manuels et dictionnaires de Louis Hachette s'avérèrent des outils adaptés[17]. Hachette était par ailleurs particulièrement motivé par l'idée d'aider les plus pauvres à échapper à leur destinée : outre la nourriture et un toit, le livre était selon lui un moyen déterminant.

L'enseignement à domicile pouvait également apporter des bases solides. À Fort Wayne, dans l'Indiana, les sœurs Hamilton – Edith, Alice, Margaret et Norah, qui toutes allaient exceller dans leur domaine – furent éduquées par leur mère dans les années 1870 et 1880. On lisait beaucoup à haute voix et on s'inspirait de personnages de fiction pour écrire des pièces de théâtre ou créer des jeux de rôles en famille[18]. Bien sûr les enfants les plus âgés pouvaient s'aider des livres pour bâtir leur indépendance. Dans *Intérieur à Arcachon* (1871), Manet représente sa femme et son fils séparés l'un de l'autre non seulement par une fenêtre mais aussi par le fait que Léon est perdu dans ses pensées, sans doute troublé par le livre posé sur ses genoux[19]. Les groupes de lecture encourageaient quant à eux l'amitié et la sociabilisation même si c'était parfois dans un cadre sérieux et professionnel comme on peut l'observer dans la toile pointilliste de Théo van Rysselberghe *Une Lecture* (1903, p. 232). L'artiste belge peignit également son épouse, livre sur les genoux, dans un jardin (p. 188), et une autre fois dans une pose similaire mais à l'intérieur et avec sa fille qui, malheureusement, semble profondément s'ennuyer.

Après que François Guizot eut fait passer en 1833 une loi encourageant la création d'écoles publiques en France, un nouveau sujet s'offrit aux artistes – non pas que la hausse du nombre d'écoles ait été immédiatement perceptible dans tous les pays ou que, si l'on en juge par l'aquarelle de l'artiste britannique Henry James Richter de 1823, *A Picture of Youth*, or *The Village School in an Uproar*, tout se passait sans incidents. L'enseignant de Richter qui s'était absenté de sa classe est sur le point de découvrir que les livres y volent dans toutes les directions. Cette image sera massivement utilisée par la propagande éducative allemande, Française, espagnole, italienne et américaine grâce au procédé bon marché de la lithographie. L'influence du livre, et son utilisation pertinente par les artistes, était destinée à croître considérablement alors que le nombre d'enfants dans les écoles publiques atteignait des sommets comme aux États-Unis où ils sont passés de 1.8 million en 1840 à 17 millions en l'espace de quarante ans[20].

Notons que beaucoup d'hommes avaient une vision sexualisée du livre. Leigh Hunt, figure clé du mouvement romantique anglais et fils d'Américains loyalistes qui s'étaient installés en Grande-Bretagne, symbolisait peut-être inconsciemment la face sombre de la société du XIXe siècle quand il appelait ses livres ses « maitresses ». Ruskin n'était donc pas le seul à voir les livres comme des femmes : recouverts de tissus, puis ouverts, touchés, sentis, possedés[21]. Sa vie privée révèle une attitude ambivalente envers la jeunesse qui a fait l'objet de beaucoup de débats. Il rencontra son épouse, Effie, lorsque celle-ci avait douze ans et son mariage ne fut jamais consommé. En 1858 il fit la connaissance de Rose la Touche qui avait alors neuf ans ; il la demanda en mariage lorsqu'elle atteint l'adolescence mais elle l'éconduisit. On pourrait si l'on était généreux dire qu'il était à la recherche d'un idéal et qu'étant un homme excessif en tout, il ne supporta pas de ne pas l'atteindre. Les choses allèrent plus loin au XXe siècle, comme on le sait bien, avec par exemple cette couverture d'un catalogue d'exposition de 1947 conçue par Duchamp arborant un sein postiche en mousse accompagné au dos de l'injonction suivante : « Prière de toucher »[22].

C'est apparemment John Ferriar, un physicien écossais de la Manchester Royal Infirmary, qui inventa en 1809 le terme de « bibliomanie » pour désigner les « désirs furieux » de « l'homme malheureux qui ressent la maladie du livre ». À la fin du siècle le petit-fils du grand essayiste William Hazlitt (1778–1830), William Carew Hazlitt, lui-même avocat et éditeur, retraça le développement de son addiction dans ses *Confessions of a Collector* (1897)[23]. Mais peut-être que la racine de cette obsession était l'activité de collectionner – et non les livres en tant que tels – et Hazlitt déclara lui-même que « les peintures et les gravures étaient le piège ultime[24] ».

L'écrivain et éditeur français Octave Uzanne aurait probablement été en désaccord. En 1892, quelque 95 bouquinistes de la Rive gauche à Paris furent conviés à un banquet financé par Xavier Marnier de l'Académie française. L'ouvrage d'Uzanne *Bouquinistes et bouquineurs : physiologie des quais de Paris du Pont Royal au Pont Sully* fut publié l'année suivante. Si « les amoureux [font] une chasse à la femme », aucune poursuite n'était « plus insatiable dans le triomphe », « plus riche en joies », « plus obstinée dans l'insuccès » que « la chasse au bouquin ». La « volupté physique », ressentie au contact d'une reliure, « n'en est point absente »[25]. C'est néanmoins le même Uzanne qui, dans un article pour *Scribner's Magazine* en 1894, prédisait que le nouveau médium de diffusion du XXe siècle serait le phonographe, le titre de l'article faisant le pari erroné de « la fin des livres ».

Comment les femmes allaient-elles réagir à tout cela ? Il y avait tellement d'excès en jeu. Dans son traité du début du XXe siècle *Das Sexualleben unserer Zeit in seinen Beziehungen zur modernen Kultur* (La Vie sexuelle de notre temps dans ses relations à la culture moderne), Iwan Bloch – le psychiatre allemand qui a redécouvert le manuscrit des *120 Jours de Sodome* du marquis de Sade – évoquait ces bibliomaniaques et érotomanes qui confectionnaient des reliures avec de la peau de poitrine féminine[26]. Les femmes devaient également faire face au fait que beaucoup d'hommes de par le monde soulignaient la « fausse moralité des femmes romancières » pour reprendre le titre d'un article de W. R. Greg dans la *National Review* en 1859, avec une emphase particulière sur leur incapacité à émettre des jugements critiques dénués d'émotion[27].

Les hommes ne résonnaient pas toujours ainsi mais ils obtenaient généralement ce qu'ils voulaient. Dans *Bibliomania*, or *Book Madness* (1809) le révérend Thomas Frognall Dibdin s'en prenait à l'idée apparemment répandue que les hommes collectionneurs voyaient les femmes comme des objets : le livre s'achève par un dialogue entre deux bibliophiles encouragés dans leur passion par deux sœurs cherchant à les séduire mais les hommes tombent amoureux des livres – et seulement des livres[28].

En 1867 l'historien et journaliste Charles de Mazade se plaignait du fait que le roman moderne semblait être « le domaine privilégié des femmes » (il était aussi celui des hommes puisque ceux-ci l'élurent plus tard à l'Académie française)[29]. Cette récrimination n'allait pas décourager les femmes comme on peut le voir dans tant de toiles : aucun être ne semble plus concentré et heureux qu'une femme en train de lire dans un portrait d'Henri Fantin-Latour. Le peintre préraphaélite Robert Braithwaite Martineau s'intéressa dans *The Last Chapter* (1863, p. 119) à l'excitation que l'on ressent quand on arrive à la fin d'un livre[30]. William Dyce perpétuait quant à lui une tradition datant de la Renaissance lorsqu'il montra la Vierge en train de lire des textes pieux dans *Madonna and Child* (1845) – une œuvre influencée par Raphaël et « si chaste et si délicatement peinte », comme le nota la reine Victoria dans son journal[31].

Dans l'ensemble nous dirions que quand les artistes hommes représentaient les femmes dans leur rapport au livre, celles-ci étaient soit irrémédiablement perdues dans un monde fictionnel, soit les représentantes d'une attitude discrète et profondément morale. Au cours du siècle, des nuances virent le jour, tout du moins dans le travail de certains artistes. Dans ses nombreuses représentations de femmes ou de fillettes lisant, Renoir commença à laisser entendre que « femme » ne rimait pas avec « stéréotype » ; et le portrait que Toulouse-Lautrec fit de sa mère en train de lire en 1887 était dénué de toute frivolité ou moralisme.

Bien sûr, même si au XIXe la « vérité » était de l'avis de tous une réalité accessible, les écrivains et les artistes nous offrirent – consciemment ou non – une profusion d'opinions, de croyances et de préjugés mais aucune vérité ; leurs successeurs du siècle suivant combattront même avec force l'idée selon laquelle ils auraient pour fonction de représenter la réalité. Dans *Le Fruit défendu*, la toile qu'Auguste Toulmouche présenta au Salon de Paris en 1867, deux jeunes filles lisent, de toute évidence enchantées par une littérature interdite, une troisième surveille la porte tandis qu'une quatrième cherche à atteindre l'étagère où de tels objets de plaisir étaient conservés. Les quatre jeunes femmes font-elles l'objet d'un blâme masculin implicite ou utilisent-elles leur ruse, leur indépendance et leur enthousiasme pour obtenir ce qu'elles veulent[32] ? Nous pouvons aujourd'hui sans risques les louer pour leur indépendance d'esprit mais à peu près à la même époque un être monstrueux tel que Heinrich von Treitschke en Allemagne trahissait une vision fantasmée de l'histoire et de l'intellect féminin en célébrant *Bilder aus der deutschen Vergangenheit* de Gustav Freytag, ouvrage consacré au passé teuton, comme « l'un des rares travaux historiques que les femmes puissent lire et comprendre[33] ». Ce préjugé contre les femmes exprimé de manière extrême par Freytag était de fait présent dans toute la société : dans son *Milton Composing 'Paradise Lost'* exposé à la Royal Academy en 1802 Richard Westall représente les deux filles de Milton en train de retranscrire le poème épique de leur père sur papier mais de fait aucune des deux n'avait dans la réalité appris à écrire, destin de beaucoup de filles à l'époque[34].

Mais les différences entre hommes et femmes ou le comportement masculin ne sont pas les seuls éléments à tirer de l'étude de la passion des livres. Dans un article de 1823 pour le *Literary Examiner* intitulé « Mes livres », Leigh Hunt se fait le porte-parole de beaucoup de ses contemporains quand il explique – assis l'hiver au coin d'un bon feu – qu'il aime les auteurs car non seulement ils permettent à son imagination de s'évader mais ils lui font aussi « aimer les livres eux-mêmes » : « Take me, my bookshelves, to your arms / And shield me from the ills of life. » (Prends-moi, ma bibliothèque, dans tes bras / Et protège-moi des maux de la vie.) Quand il parle de son contact au sens littéral du terme avec ses livres – il aime particulièrement appuyer sa tête contre eux –, on pourra toujours spéculer sur le fait de savoir s'il s'agit d'un plaisir humain innocent ou d'une confusion consciente ou inconsciente entre les livres et les femmes.

Peut-être la vérité est-elle que beaucoup de bibliophiles éprouvaient à la fois un plaisir innocent et des sensations qui étaient loin de l'être. Isaac D'Israeli, dont les *Curiosities of Literature* connurent quatorze éditions entre 1791 et 1849, évoque la « BIBLIOMANIE » déchainée et compare les livres à des « beautés orientales observant à travers leurs jalousies ». Mais il dit de ses motivations de collectionneur qu'elles relèvent simplement de l'utilité et du plaisir ; dans un essai publié dans le même livre il défend les femmes contre les aspects de la chrétienté, de l'islam et du judaïsme qui réduisent leur rôle à la « multiplication et au plaisir ». Et Ruskin, dans *Sesame and Lilies* (1865) se plaint de ce que les amoureux des livres soient traités de fous alors qu'on ne dit jamais des parieurs hippiques qu'ils sont « hypo-maniaques » même si cette passion les ruine.

Le prolifique auteur écossais Andrew Lang évoque l'érotisme que l'on peut ressentir en touchant des livres et l'attribue au fait qu'ils avaient été parfois touchés par des rois, des cardinaux ou des savants – tous des hommes. C'est l'homme politique britannique de gauche Augustine Birrell qui déversa tout son mépris sur les maniaques mystiques : « À écouter certaines personnes, vous pourriez être porté à croire qu'il est en leur pouvoir de construire une barricade de livres et de s'asseoir derrière pour tourner en ridicule les traits et les flèches d'une outrageante fortune[35] ».

Le débat sur la supériorité de l'art ou de la littérature s'est prolongé. L'essayiste et poète anglais Charles Lamb arguait avec une véhémence inédite que l'immédiateté de l'art ne laissait aucune place à l'interprétation : une fois que vous aperceviez sur une toile Falstaff en « gros Jack » ou Othello en « maure », vous acquériez une idée préconçue inébranlable[36]. Mais Ruskin, à qui l'on doit sans doute l'expression « word painting » (peinture par les mots), avait trouvé en Dickens un parfait interprète puisque celui-ci déclarait avec force : « je ne l'invente pas – vraiment pas – mais je le vois, puis je l'écris[37]. » En mars 1883 Van Gogh confirma de façon intéressante cette analyse quand il écrivit : « Il n'y a pas d'écrivain qui soit tant un peintre et un artiste blanc et noir que Dickens[38]. » Ce sont les romantiques plus tôt dans le siècle qui ont rompu avec la volonté, exprimée par Gotthold Ephraim Lessing dans *Laocoön* (1766), de créer une démarcation entre d'une part la peinture se souciant principalement d'espace et d'autre part l'écriture se préoccupant du passage du temps.

Peinture et lecture cohabitaient en réalité souvent avec bonheur. En Russie, le ministère de la Cour impériale commanda en 1838 à Grigory et Nikanor Chernetsov des toiles représentant les sites d'intérêt le long de la Volga. Dans leur toile les montrant sur la péniche sur laquelle ils passèrent six mois et connurent beaucoup de mésaventures, un des frères lit et l'autre écrit ou dessine[39]. Parfois, artistes et écrivains s'inspiraient mutuellement. Les poèmes de Robert Browning « Andrea del Sarto » ou « Fra Lippo Lippi » semblent tout droit sortis des toiles mêmes de ces artistes[40]. La seconde épouse de Dostoïevski, Anna, raconta comment l'écrivain était resté absolument immobile – comme lors des premiers moments de ses épisodes épileptiques – face au *Corps du Christ mort dans la tombe* (1520–1522) de Hans Holbein. Plus tard, dans ses notes pour *L'Idiot*, Dostoïevski évoque abondamment cette peinture. Une copie se trouve dans la maison de l'assassin Rogojine, alors que le héros christique, le prince Mychkine, a vu l'original à Bâle[41].

Tout comme il a été souvent dit que les romans peuvent être de grandes sources d'inspiration pour les artistes à cause de la façon dont les mots – l'histoire – suscitent des images, la peinture fournit souvent la colonne vertébrale, ou même l'intrigue, d'un roman. Publié en 1890, *Le Portrait de Dorian Gray* (peut-on imaginer plus visuel ?) d'Oscar Wilde a été un des premiers exemples d'un genre qui s'est affirmé au siècle suivant, et dont voici deux exemples plus récents : *La Jeune Fille à la perle* de Tracy Chevalier (1999, sur Vermeer) et *Le Chardonnet* de Donna Tartt (2013, dont l'intrigue tourne autour du tableau éponyme que Carel Fabritius a peint en 1654). Citons également le livre d'Anthony Powell *Des Livres au mètre* (1971). Le roman de Powell faisait partie d'une série qu'il avait intitulée « La ronde de la musique du temps », titre lui-même inspiré d'une histoire complexe qui avait débuté au XVIIe siècle avec Giovanni Pietro Bellori. Premier biographe de Poussin, Bellori écrivit sa propre version des *Vies* de Vasari, et donna comme titre à l'œuvre de Poussin maintenant à la Wallace Collection de Londres *La Danse de la vie humaine*. Depuis que les conservateurs de cette institution l'ont cataloguée au début du XXe siècle, cette toile est désormais connue sous le titre utilisé par Powell *(A Dance to the Music of Time)* : l'art se reflète dans la littérature tout autant que la littérature se reflète dans l'art.

Les livres étaient pour les artistes une riche source iconographique. Dans son autobiographie, William Powell Frith évoque ses lectures incessantes des œuvres de Cervantès, Molière et Oliver Goldsmith à la recherche de potentiels sujets[42]. On a recensé dans la seule Grande-Bretagne au moins 2 300 peintures datant de 1760 à 1900 représentant des scènes de Shakespeare. Les progrès techniques dans le domaine de la gravure et de l'impression ont permis aux artistes d'utiliser les livres et les tirages pour toucher un plus large public. C'est ainsi qu'aux États-Unis, le *Barefoot Boy* (1860) de Eastman Johnson, portrait du personnage principal du poème populaire éponyme de John Greenleaf Whittier, est devenu en 1868 une image iconique grâce au procédé de la chromolithographie[43].

Avant que les artistes ne s'emparent véritablement de la forme livresque avec créativité, Delacroix a illustré en 1828 une édition du *Faust* de Goethe – « il a surpassé ma propre vision », déclarera Goethe – et Manet le poème d'Edgar Allan Poe *Le Corbeau* (1875), qui malgré la traduction française de Mallarmé n'a pas rencontré le succès escompté. Delacroix n'avait lui-même jeune homme pas trouvé d'éditeur pour ses romans et en 1824 il consigne dans son journal qu'il désire expliquer les différences entre les formes artistiques[44]. Il ne le fit jamais et même s'il était, comme d'autres, inquiet du fait que la peinture et l'illustration puissent laisser l'artiste sous la férule de la littérature, il s'inspira lui aussi de Shakespeare et d'autres auteurs. Qui pouvait par ailleurs résister au *The Old Curiosity Shop (or Little Nell and Her Grandfather)* de John Watkins Chapman exposé à la Royal Academy en 1888 et inspiré du roman de Dickens *Le Magasin d'antiquités*, avec – on se s'étonnera pas – un livre posé sur les genoux de Nell ainsi que d'autres disséminés dans le désordre[45].

Les artistes étaient toujours majoritairement d'extraction humble. Être l'un des *bohèmes* au Café Guerbois à Paris, où Manet présidait et exhibait à la fois son érudition et la vitesse de sa pensée, n'était pas toujours une expérience aisée pour le fils d'un simple épicier comme Monet ou le sixième fils d'un tailleur de province qui tirait le diable par la queue comme Renoir. Mais d'autres artistes, plus à leur aise, affichaient leur très grande connaissance de la littérature classique ou de la Renaissance comme Degas, parfois même au Café Guerbois. Beaucoup d'auteurs savaient également dessiner, ce qui pouvait s'avérer une distraction utile (et donner raison à Napoléon qui pensait qu'« un bon croquis [valait] mieux qu'un long discours ») : Tourgueniev qui rencontra Flaubert à Paris en 1863 – comme cela arrivait souvent dans ce monde international d'artistes et d'écrivains où régnait à la fois une camaraderie soudée et une compétitivité à toutes épreuves – fait montre d'une certaine sécheresse lorsqu'il envoie ses condoléances à la mort de George Sand, mais la partie la plus intéressante de sa lettre est un croquis très vivant de son domaine familial en Russie, Spasskoïe[46].

Quant à Victor Hugo, le dessin était pour lui plus qu'un passe-temps même s'il fit en sorte de le réserver à la sphère privée afin que l'attention soit tout entière portée sur son activité d'écrivain (précaution inutile étant donné que presque personne n'aurait pu égaler même en plusieurs vies la quantité et la qualité sa production littéraire). Il laissa quelque 4 000 dessins et ne les montra que de façon très sélective comme le laisse à penser une lettre à Baudelaire en avril 1860 dans laquelle il exprime son bonheur et sa fierté que son correspondant apprécie ses dessins et explique que ses matériaux incluaient « toutes sortes de mixtures bizarres », non seulement du crayon, du fusain et du sépia mais aussi du charbon et de la suie. Il utilisait également des grains de café ainsi que, raconte-t-on, son propre sang. Son fils Charles – dont la mort d'une apoplexie foudroyante peu de temps après l'armistice franco-prussien et à la veille de la Commune de Paris a été à l'origine du recueil de poèmes *L'Année terrible* – était sans doute de parti pris quand il compara les dessins de son père aux estampes de Rembrandt et Piranèse, mais Delacroix lui-même dit de l'écrivain que c'était un grand artiste en puissance[47].

Sainte-Beuve exagérait sans doute quand il prétendit pendant les jours heureux du romantisme que les peintres de l'avant-garde étaient devenus « nos frères[48] » mais les artistes peignaient souvent des écrivains : Gustave Courbet, dans son *Portrait de Charles Baudelaire* (1848, p. 223), montre le poète plongé dans la lecture – l'aversion de Baudelaire pour le réalisme mettra un frein à leur amitié[49]. Manet et Zola ne connurent pas ce problème, en particulier après que Zola eut protesté contre l'absence de Manet au Salon de 1866. Leur amitié, ou du moins leur désir mutuel de succès, fut enrichie par leurs conversations au Café de Bade, et le portrait que Manet peignit de Zola en 1868 (p. 228) incluait beaucoup de livres dont, ouvert devant l'écrivain, un des ouvrages préférés de l'artiste, *Histoire des peintres de toutes les Écoles* de Charles Blanc. On aperçoit aussi une reproduction de la toile de Manet *Olympia* (1863) que Zola avait encensée ainsi que, avec sa couverture bleue, le texte

CE PASTEL DE DEGAS représentant une jeune fille languide (v. 1889) – probablement l'une des filles de sa sœur Marguerite de Gas Fevre – montre combien n'importe quel volume relié pouvait avoir un effet puissant sur l'être humain, qu'il soit lu pour l'éducation ou le plaisir.

CHAPITRE 6

Les CHOSES SUBSISTENT

SI JAMAIS DES DOUTES avaient été émis auparavant, ils ne pouvaient plus être de mise au début du XXe siècle : le livre était devenu un outil à la fois individuel, familial, communautaire, national et international. Il pourvoyait aux besoins d'éducation et de divertissement dans tous les domaines ; il pouvait fournir des informations, une expérience esthétique, une structure morale et l'accès à l'interdit.

Il réconfortait également ceux qui se sentaient dépassés par les nouvelles forces déchainées de la modernité. Dans *Der stille Garten* (1908, Le jardin tranquille), l'historien de l'art Max Sauerland rassura par sa description de la peinture allemande au XIXe siècle. Il y dépeignait un monde bourgeois non pas agité mais calme, peu industrialisé et peuplé d'humains en paix avec la nature. Le livre fut réédité l'année suivante pour les fêtes de Noël dans un coffret comprenant un autre ouvrage, *Das Haus in der Sonne* (La maison au soleil), qui apporta la renommée internationale à son auteur, l'artiste suédois Carl Larsson. L'idée était de distraire un public confronté à une réalité incertaine – une autre fonction du livre, potentiellement sinistre il est vrai mais plus efficace pour beaucoup que les nouvelles théories de M. Freud (même si quand il souffrit de dépression à la fin de sa vie Larsson aurait pu trouver de l'aide dans les livres de ce dernier[1]). Les livres étaient également symboles de statut social. Aux États-Unis, lorsque parut en 1897 *The House Beautiful* – un texte de William Channing Gannett mis en pages par Frank Lloyd Wright sur la nécessité d'harmonie dans les intérieurs –, il n'y avait aucun doute sur le fait que les livres devaient servir à impressionner ses invités – et qu'ils y réussissaient[2].

Néanmoins, tout au long du XXe siècle et bien avant le début de l'ère numérique, il ne manqua pas de voix – certaines inattendues – pour proclamer que le livre était en danger. L'éditeur allemand Samuel Fischer déclara qu'à cause du cinéma, de la radio, du sport et d'autres loisirs, le livre était « actuellement l'une des choses les moins nécessaires de la vie quotidienne ». Le mot à retenir ici est « actuellement » puisque nous étions en 1926, en pleine période de dépression économique et d'inflation en Allemagne. Les livres destinés au grand public, apparus pour la

---

ALBERT GLEIZES A REPRÉSENTÉ SON JARDIN du 24 avenue Gambetta à Courbevoie à l'arrière-plan de son *Portrait de Jacques Nayral* (1911). L'œuvre a été reproduite dans *Du « cubisme »*, l'unique manifeste de ce mouvement publié par Gleizes et Jean Metzinger en 1912. Nayral, pseudonyme de l'écrivain et éditeur Joseph Houot, allait mourir au combat en décembre 1914. Il ne reçut jamais la carte postale de son ami Gleizes sur laquelle était écrit : « Il est impossible que cette guerre dure beaucoup plus longtemps. »

première fois au XIXe siècle dans la collection « Universal-Bibliothek » de l'éditeur Reclam, bénéficiaient désormais d'une présentation de qualité. Il en était par exemple ainsi de la collection lancée par Insel Verlag en 1912 qui incluait même un livre sur le grand maître Hans Holbein : *Bilder des Todes*, une sélection de ses représentations de la mort, fut publié en 1917 en pleine Première Guerre mondiale[3]. Les livres pouvaient donc refléter un monde irréel et fantasmé mais ils pouvaient aussi si besoin était ne pas esquiver la réalité.

Un des paradoxes de l'« époque moderne » réside dans le fait qu'elle a été le cadre du triomphe ultime des livres, comme en témoigne leur représentation continuelle dans les œuvres d'artistes tels que Picasso, Léger ou Juan Gris. Oublié Alexander Pope et son affirmation au XVIIIe siècle selon laquelle « il faut étudier l'homme pour connaître l'humanité », et place deux siècles plus tard à Aldous Huxley et à son « il faut étudier les livres pour connaître l'humanité ». L'enthousiasme que suscitaient les livres a été brillamment décrit par une des figures de proue de la littérature africaine moderne, Chinua Achebe, dans *Le Malaise* (publié en anglais en 1960 et en français en 1974) qui se déroule dans un village igbo où un seul homme sait lire – une histoire loin d'être heureuse en cette époque de transition coloniale.

Dans le monde occidental, le pionnier austro-américain des relations publiques Edward Bernays a dès les années 1920 pressenti que les autres médiums, loin de menacer les livres, allaient pour ainsi dire se retrouver enfermés dans une relation de dépendance par rapport à eux car, reconnus ou non, ceux-ci fourniraient une si grande partie du contenu dont leurs lecteurs étaient friands[4].

Par ailleurs, l'idée du livre comme médium conservateur aurait fait rire les grands dictateurs du XXe siècle. La méfiance moderne délibérée envers les technologies et activités anciennes ne pouvait entamer le pouvoir qu'avaient les livres de façonner l'histoire. La tradition réaliste russe du XIXe siècle à l'œuvre dans la célèbre toile d'Ilia Repine représentant des ouvriers exploités, *Bateliers sur la Volga* (1870–1873), connut une seconde vie quand l'œuvre réapparut sur le mur d'un bateau de croisière dans une affiche de propagande de l'ère stalinienne. On y voit un jeune « pionnier » – membre du mouvement des Jeunesses communistes – lire *Pour qui fait-il bon vivre en Russie* de Nikolaï Nekrassov pendant que son mentor montre du doigt la renaissance du grand fleuve grâce à la puissance de l'industrie soviétique[5]. Staline lui-même, dans un portrait peint par Boris Karpov, apparaît comme un leader réconfortant devant une porte donnant sur un jardin, un livre – trop visible pour être insignifiant – posé sur une chaise à sa droite[6]. Dans un autre des nombreux portraits de Staline peints par Karpov, il est assis à son bureau, un livre ouvert devant lui. Après sa rencontre avec Tolstoï en 1880, Repine avait commencé à s'interroger sur la façon dont l'art et la littérature pourraient atteindre la vérité en empruntant des chemins différents ; les tyrans quant à eux trouvaient que l'association des deux fonctionnait très bien.

Les choses auraient-elles été différentes si les grands dictateurs du XXe siècle avaient vécu à l'ère des réseaux sociaux ? Évidemment ces derniers ont la capacité de diffuser un message rapidement et, en principe, sans limites géographiques. Mais ce n'est pas un hasard si les méthodes de communication instantanées, n'octroyant aucune valeur à l'exactitude et à la vérité, n'ont pas de longévité, en particulier si elles n'ont pas d'existence matérielle. Les Dix Commandements auraient-ils été dotés de la même autorité s'ils avaient été enregistrés sur un i-phone plutôt que sur des tablettes, même symboliques ? Ajoutons qu'une fois que le Nouveau Testament a été disponible sous forme livresque grâce au Codex Alexandrinus ou au Codex Sinaiticus, parvenus tous deux jusqu'à nous depuis les premiers siècles de l'ère chrétienne, la Bible a pu entamer ce voyage au long cours qui influencera tant d'âmes humaines, puisant sa force dans le fait qu'elle exprimait la parole de Dieu de façon tangible.

La leçon n'était pas perdue pour les tyrans modernes qui s'emparèrent, pour ainsi dire, du pouvoir du livre pour des raisons moins recommandables. Dans *Le Petit Livre rouge*, publié pour la première fois en 1964 par l'Armée de libération du peuple, Mao inclut parmi ses aphorismes la déclaration selon laquelle faire la révolution n'équivalait pas à écrire un essai ou peindre une toile ; c'était « un acte de violence par lequel une classe renverse une autre ». Le grand nombre de photographies et de peintures montrant ses disciples (c'est-à-dire toute la population puisque l'adhésion à ses maximes était obligatoire) brandissant ce livre est une preuve du pouvoir de celui-ci. Remplacez le livre par un iphone et vous remplacerez un médium qui « accrédite » tout message qu'il pourrait transmettre par un appareil technologique sur le point d'être obsolète. On estime que le *Petit Livre rouge* a été distribué jusqu'à aujourd'hui à plus d'un milliard d'exemplaires.

Écrivains et artistes continuèrent quant à eux de créer des scènes de lecture d'intensité variée : Elizabeth Jane Howard, par exemple, décrit dans ses mémoires publiés en 2002 la mère de son amie Carol dans une pose caractéristique, étendue sur un divan avec une lampe illuminant son roman ; le peintre expressionniste tchèque Emil Filla fait de son *Liseur de Dostoïevski* (1907) un être au contraire tourmenté qui rappelait fortement Kafka à Gustav Janouch[7]. Janouch qui était ami avec Kafka depuis son adolescence disait de lui que c'était un de ces grands écrivains doués pour le dessin. Kafka affirmait que cette activité parallèle était le résidu d'une vieille passion. « Ce n'est pas sur le papier. La passion est en moi.

J'ai toujours voulu savoir dessiner. Je voulais voir, et rester fidèle à ce qui était vu. C'était ma passion.[8] »

À l'époque moderne, les artistes firent preuve de plus d'audace dans leur interaction avec le livre. On pourrait certes arguer qu'un des premiers « livres d'artiste » fut *Los caprichos* (1799) de Goya mais les artistes ne se comportaient dorénavant plus « seulement » en illustrateurs ; ils s'employaient activement à appliquer des idées et techniques graphiques. Le catalyseur de ce phénomène, à la fin du XIXe siècle, fut le marchand d'art Ambroise Vollard. Celui-ci racontait qu'il avait tout d'abord rêvé de travailler dans l'édition mais qu'il avait pressenti que « [les livres] devaient être faits par des "peintres-graveurs" » : des artistes qui n'étaient pas des graveurs de profession mais utiliseraient leurs talents créatifs[9]. Suivi un peu plus tard par le collectionneur et marchand d'origine allemande Daniel-Henry Kahnweiler, Vollard avait été à l'origine d'un phénomène qui prouverait que, de toutes les méthodes de communication, aucune n'était plus polyvalente et protéiforme que le livre, un livre à jamais flexible dont la forme matérielle – les formes – pouvait opérer non pas comme une donnée immuable mais comme une porte d'entrée vers un monde plus riche.

Les artistes, si « savants » en tant qu'êtres humains, sont réceptifs à cette idée ou du moins était-ce le cas de Bonnard et Braque, de Matisse et Picasso, et de presque tous les mouvements artistiques du XXe siècle. Oskar Kokoschka y est presque parvenu indépendamment avec son *Die träumenden Knaben* (Les garçons rêveurs) de 1908, qui était à la fois un livre pour enfants et un hommage hautement érotique à une femme qui apparaît sous le nom de Li dans l'histoire et à propos de laquelle il avait fantasmé étudiant[10]. Max Ernst a été parmi les nombreux artistes qui ont repoussé les limites du genre, en particulier avec *Une semaine de bonté* (1934), un « roman-collage » composé de 182 images d'horreur découpées dans des romans illustrés ou des almanachs du XIXe siècle[11].

Tout au long de l'ère moderne, les mots firent irruption dans les images à tel point que dans l'art conceptuel des années 1960 et 1970, ils devinrent l'art et l'idée remplaça la forme. Entre 1961 et 1970, Dieter Roth, qui affirma une fois qu'il n'était artiste que pour assouvir son obsession de l'écriture, s'inspira d'une recette traditionnelle pour créer des « saucisses littéraires » en papier bouilli, les livres dont le papier était issu allant de Marx à des titres grand public. De nos jours, beaucoup d'artistes partout dans le monde et travaillant à toutes sortes d'échelles prennent le livre comme matériau. Mike Stilkey a créé à Los Angeles *Discarded Romance* (2012), une sculpture de 7,3 mètres de haut composée de 3000 livres de bibliothèque abandonnés – « J'ajoute mon histoire à celle de quelqu'un d'autre[12] », a-t-il déclaré. M. C. Escher a créé quant à lui un autoportrait, *Main avec miroir sphérique* (1935), dans lequel le « moi » est logé dans un monde peuplé de pièces toutes en courbes, d'images et bien sûr de livres.

Le livre a connu parallèlement une période d'expansion rapide. Entre 1940 et 2000, le nombre de livres conservés à la bibliothèque d'Harvard est passé de 4,3 à 14,4 millions ; à Berkeley les chiffres sont respectivement de 1,1 et 9,1 millions[13]. En 1957, les dix premiers titres de la collection de livres de poche grand public créée en 1939 par Pocket Books s'étaient vendus à plus de huit millions d'exemplaires[14]. Seuls 317 livres d'art furent publiés aux États-Unis en 1950 ; au début du siècle suivant le chiffre était de 5000 par an[15]. En 2003, 2,75 milliards de livres ont été vendus dans le monde et presque un million de nouveautés ont été publiées[16]. Mais même si le monde numérique, malgré les prédictions, n'a pas mis le livre en péril, il a modifié (et modifie encore) nos perceptions de façon plus pernicieuse en faisant entrer les livres mais aussi les être humains dans l'ère de la « post-vérité ». Avant que la numérisation ne prenne le pouvoir, le sculpteur Anselm Kieffer avait cherché à refléter dans ses œuvres le phénomène de la perte de foi sans doute largement engendré par l'incapacité des hommes à contrôler une technologie destructive. Si elles étaient l'expression de l'intensité brillante d'un grand artiste, ses sculptures étaient aussi – pour quiconque voyait les livres comme les réceptacles de la sagesse du monde – le signe qu'ils ne constitueraient peut-être plus une source de réassurance dans ce monde nouveau. La perte du réconfort que les livres apportaient à nos soldats russes en Crimée est-elle peut-être finalement la pire de toutes.

Aujourd'hui les artistes ont dans l'ensemble perdu toute connexion avec l'Église, les mécènes et les académies. La liberté qui en résulte ne semble généralement pourtant pas leur apporter le bonheur. Pendant de nombreux siècles les livres représentés en peinture symbolisaient la fiabilité, le réconfort, la connaissance et la création ; perdre cet aspect des choses équivaut à aussi perdre certains fondements. Mais les livres ne vont pas faire que s'apitoyer sur cette perte même s'ils ne doivent pas la passer sous silence – et les artistes les représentant non plus. Nous n'avons pas besoin de retourner dans la Grèce ancienne pour apprécier la beauté d'une sculpture grecque ou la profondeur de Platon ; les livres continuent de nous aider à les comprendre et, comme l'a dit le toujours incisif Walter Savage Landor (1775–1864) : « Les écrits des sages sont les seules richesses que notre postérité ne pourra dilapider[17]. »

Les exemples du passé ne peuvent malheureusement pas faire grand chose contre l'angoisse de la toile blanche mais peut-être a-t-on désormais une meilleure compréhension du fait qu'art et littérature possèdent en eux le don de décrire des choses existantes mais aussi toutes sortes de sentiments ou d'idées. On écrit toujours des romans à propos de peintures : dans *Girl Reading* (2012) Katie Ward a choisi sept toiles de l'histoire de l'art montrant des femmes en train de lire et a construit des récits autour d'elles. Un admirateur de l'auteur en est venu à poser la question suivante en ligne : « Que se passerait-il si on pouvait interagir avec les œuvres d'art ? » Les artistes et les écrivains ne vont pas non plus devenir obsolètes à cause de la popularité de la réalité virtuelle. Leur créativité réveille en nous quelque chose de plus profond que ce que la technologie peut nous offrir.

Comme Gilbert, du duo inséparable Gilbert & George, l'a récemment déclaré, la mort n'est pas une menace pour eux car les deux hommes laisseront derrière eux leur art, leur fondation, leur collection – et leurs livres[18] . Dans un essai de 1931 intitulé *Je déballe ma bibliothèque*, le philosophe et théoricien Walter Benjamin décrit le moment qui précède le rangement des livres dans sa bibliothèque et écrit : « Voilà. Elle n'est pas encore dressée sur les étagères, le léger ennui du classement ne l'a pas enveloppée ». Dans leur ouvrage dont le titre – *Unpacking my Library* – est un clin d'œil à celui de Benjamin, Jo Steffens et Matthias Neumann s'intéressent en 2017 au rôle que les livres et la lecture jouent dans la vie d'artistes contemporains tels que Ed Ruscha et Tracey Emin. Ils reproduisent l'essai de Marcel Proust *Sur la lecture* (1905) qui commence par ces mots : « Il n'y a peut-être pas de jours de notre enfance que nous ayons si pleinement vécus que ceux que nous avons cru laisser sans les vivre, ceux que nous avons passés avec un livre préféré[19].» Nous sommes donc de retour à notre point de départ dans la préface avec Hope Summerell et le Lapin blanc d'*Alice au pays des merveilles*.

À un moment donné dans la trilogie à succès de Robert Harris sur la vie de Cicéron, l'épouse de l'homme d'État et savant romain s'exclame avec beaucoup de mépris : « Les livres... Où est l'argent dans les livres ? » Les raisons pour lesquelles des artistes représentaient tant de livres dans leurs toiles (remarquons au passage qu'ils ne semblent pas attirés par la représentation des écrans d'ordinateur malgré le rôle de ceux-ci dans nos intérieurs contemporains) n'ont généralement rien à voir avec l'argent ni avec la technologie – qui ne sont donc pas les seules choses qui font tourner le monde. Leurs mécènes et clients accordaient une grande valeur à la fois à la peinture et aux livres mais les deux médiums entretenaient une relation millénaire pour des raisons plus importantes. Ces raisons commencent – et s'achèvent – par le confort et le réconfort mais elles incluent aussi, comme nous l'avons vu, presque tout ce à quoi les êtres humains accordent de la valeur. Qu'il soit heureux ou triste, aucun lecteur d'un livre, aucun peintre d'un livre, n'a jamais oublié qu'il était humain.

Partie II

La PEINTURE *« est comme un* LIVRE ... *[qui a* BESOIN *de]* DÉVOILER *ses* RICHESSES »

GALERIE 1

La PAROLE *de* DIEU

POURQUOI LE DIABLE serait-il effrayé par un livre ? La légende raconte qu'un jour, alors qu'elle se rendait à l'église à la nuit tombante, sainte Geneviève fut interceptée par un diable qui exigeait qu'elle éteigne sa chandelle. La patronne de Paris, qui par deux fois au ve siècle fit figure de véritable figure tutélaire pour les Parisiens quand ils furent menacés d'abord par Attila puis par les Francs, devint un objet de vénération dans d'autres parties de l'Europe, en particulier dans le sud-ouest de l'Allemagne et en Angleterre ; elle était aussi la sainte patronne de plusieurs guildes flamandes. Le maitre flamand Hugo van der Goes créa un magnifique diptyque composé de *La Chute de l'homme* sur un panneau et de *La Lamentation du Christ* sur l'autre. Ses commanditaires du xve siècle pouvaient aussi admirer sainte Geneviève au dos du premier panneau (p. 82), avec un diable cherchant à l'empêcher de lire un livre en soufflant sur sa bougie. Et pourquoi cela ? Parce que le livre était la Parole de Dieu. On ne devrait peut-être pas s'étonner du fait que, comme d'autres diptyques comportant des images au verso, cette œuvre pouvait s'ouvrir comme… un livre[1].

Ceux qui dans notre occident séculier passent par pertes et profits le rôle de la religion dans l'Histoire ou le fait que la croyance, loin de conférer au mysticisme, a eu des conséquences sociales, économiques et politiques hautement pratiques peuvent facilement être détrompés par l'histoire du livre. Même avant le début de la chrétienté, les Égyptiens voulaient être enterrés avec le Livre des morts afin de s'assurer que leur voyage vers l'au-delà se fasse en toute sécurité et sous protection. Dès que l'empereur Constantin se convertit au christianisme, le livre devint un élément primordial de l'iconographie d'une religion – et de son art – qui n'allait connaître aucune frontière. Remarquons cependant que cette mise au pinacle du livre s'accompagna d'un rejet de la liberté de penser qui prévalait à l'époque païenne, la littérature et les mœurs de cette dernière étant en contradiction avec une culture chrétienne répressive sur le plan sexuel[2].

A-T-ON JAMAIS RENCONTRÉ une expression du visage, du regard et des mains aussi magnifiquement énigmatique ? Dans cette peinture d'Antonello da Messina (v. 1476), l'archange Gabriel vient à peine d'annoncer à la Vierge qu'elle va être la mère de Jésus, l'interrompant de façon pour le moins inattendue dans la lecture de son livre d'heures ou de la Bible.

Le rôle du livre n'était néanmoins pas uniquement de nature iconographique ; il acquit un pouvoir intrinsèque dès lors qu'il fut associé aux saints. En 827 des légats de l'empereur byzantin arrivèrent à Saint-Denis, au nord de Paris, avec une copie des œuvres de Denys l'Aréopagite ; le matin suivant, près de vingt guérisons miraculeuses avaient déjà eu lieu. En 1926 le peintre allemand Hermann Nigg représente saint Benoit écrivant au VIe siècle les règles que devraient suivre les communautés monastiques bénédictines ; parmi elles, quatre heures de lecture par jour, ce qui encouragea – bien avant la naissance de l'imprimerie – la copie de manuscrits. Nous pourrions presque affirmer que les livres étaient aussi précieux pour l'Église que l'institution elle-même ou du moins qu'ils devinrent l'outil qui facilita la communication avec Dieu, l'apprentissage de la doctrine et la conversion, qu'ils aidèrent les chrétiens à savoir comment mener leur vie et qu'ils symbolisèrent de plus en plus l'autorité pour les officiants et la hiérarchie de l'Église. En un sens, le Nouveau Testament est l'histoire de notre monde sous forme de livre : il s'ouvre par la Création et s'achève, au verset 14 du sixième chapitre de l'Apocalypse, quand « Le ciel se retira comme un livre qu'on referme[3] ».

Le livre a entretenu, dès les débuts, un lien étroit avec la peinture. Au VIe siècle, l'évêque de Marseille s'inquiétait auprès de Grégoire le Grand du fait que les images d'idoles païennes exerçaient une mauvaise influence sur les croyants ; le pape lui fit une réponse des plus claires : « Le mot écrit est pour les lecteurs » mais tous les autres – le taux d'alphabétisme étant bas – ont besoin d'images[4]. »

Tout le monde n'était pas de cet avis – il ne s'agissait que d'un nouvel épisode de la lutte éternelle entre le mot et l'image. Isidore de Séville (mort en 636) n'écrivit-il pas dans son *Etymologiae* ces mots qui eurent une grande résonnance : « la peinture [...] est souvent une représentation feinte, et non la vérité[5]. » Beaucoup d'images incluaient de fait des livres pour leur valeur symbolique. À la Renaissance, les représentations de Dieu lui-même – auparavant considérées comme sacrilèges – comprenaient souvent un livre. Celui-ci semblait avoir autant sa place que la croix ou les stigmates dans une peinture montrant Jésus. Il était soit fermé pour symboliser le fait que seul le Christ était autorisé à transmettre la parole divine, soit ouvert afin que l'on voit qu'Il était le rédempteur[6]. Il renforçait aussi la notion du Christ en tant qu'enseignant et source d'autorité – saint Paul ne rencontra pas Jésus mais il était parfois représenté recevant son autorité par l'intermédiaire d'un livre.

Les archanges étaient dépeints avec des rouleaux ou des livres car ils avaient le pouvoir d'interpréter les jugements et les prophéties ; les prophètes eux-mêmes retranscrivaient leurs prophéties sur des rouleaux. De nombreux saints – de Bernard à Sylvestre – révélèrent leur sainteté par le biais de leurs livres ; sainte Catherine d'Alexandrie ou encore les saints dominicains tels que les a représentés Tommaso da Modena dans l'église de San Niccolò à Trévise retranscrivirent également leur savoir et leur sagesse.

L'érudition des évangélistes et des Pères de l'Église était symbolisée par l'écriture ou la lecture. Il est à noter que c'est une vision principalement masculine de la sagesse de Dieu qui était représentée. Dans la *Vierge à l'Enfant* (la Vierge Dúran, 1435–1438, p. 83) de Rogier van der Weyden, l'Enfant froisse les pages de l'Ancien Testament car c'est Jésus en tant que mâle qui va le remplacer par le Nouveau. Mais la mère du Fils de Dieu est souvent représentée avec son livre de prières – son livre d'heures – comme dans l'une des fresques de Giotto dans la chapelle des Scrovegni à Padoue (début du XIVe siècle).

La propagation et la visibilité de telles œuvres se sont considérablement accrues à la Renaissance. Avant le pape Nicolas V, le Vatican possédait environ 340 manuscrits ; pendant les vingt-cinq ans qui ont suivi sa mort en 1455, ce chiffre a été multiplié par dix[7]. Au XVe siècle, les impressions xylographiques, souvent présentées sous forme de tabellaires, présentaient des scènes de la Bible ou de la vie des saints. Il était aussi commun, comme dans le *Triptyque Moreel* de Hans Memling (1484), que les mécènes et leur famille apparaissent à gauche et à droite des panneaux avec des livres de prières à la main[8].

De nombreux artistes dont Bosch, Le Corrège, Poussin et Velázquez ont représenté saint Jean l'Évangéliste sur l'île de Patmos ; sur un imprimé russe du XVIIe siècle conservé à la British Library Jean est même intimé de prendre un livre des mains d'un ange et de le manger.[9] La route vers le sécularisme était encore longue mais la notion d'instruction divine se muait désormais grâce à l'humanisme en ce que l'on pourrait appeler « inspiration divine » et elle pouvait toucher les érudits et les écrivains dont la vie était si intimement liée à leurs livres. Le protestantisme était quant à lui une « religion du livre », comme l'a dit le grand historien français Élie Halévy[10]. Les *Flugschriften* de Luther étaient des brochures doctrinales ou prosélytistes bon marché en langue vernaculaire qui connurent un succès immédiat.[11] Pierre-Robert Olivétan, cousin de Jean Calvin, suggéra modestement au début de sa traduction de la Bible (1535) qu'il est « autant difficile [...] de pouvoir bien faire parler à l'éloquence hébraïque et grecque le langage français » que de chercher à « enseigner le doux rossignol à chanter le chant du corbeau enroué » mais les avis sur la question allaient bientôt changer[12]. À partir de cette époque l'Église catholique se montra généralement moins enthousiaste à l'idée de représenter par exemple la Vierge en train de lire car fournir des livres aux profanes débouchait selon elle sur l'hérésie[13].

Mais le livre avait acquis statut et autorité grâce à son usage proéminent par l'Église. Les encouragements à la lecture prodigués par les protestants gagnèrent l'autre côté de l'Atlantique : *The History of Holy Jesus*, publié pour la première fois à Boston en 1745, contenait une gravure intitulée « La mère attentive instruisant ses enfants ». Paradoxalement ce mouvement alimenta le désir, et le respect, laïc pour tous les livres quel que soit leur genre[14].

John Stuart Mill observa un jour qu'« une personne ayant une croyance [équivaut à] quatre-vingt-dix-neuf personnes n'ayant que des intérêts[15] ». C'est une des raisons pour lesquelles la chrétienté s'est épanouie à l'ère moderne. Le livre lui a servi d'avocat mais la chrétienté a tout autant joué le rôle d'avocat du livre. Les artistes ont comme toujours reflété et interprété ce courant puissant. Et ils l'ont fait à nouveau plus tard à l'époque des nouvelles religions qu'étaient les régimes totalitaires communistes et fascistes qui trouvaient que le livre pouvait – de cette façon sélective qui résulte de la combinaison des croyances et des intérêts – les aider aussi.

C'est Henri Matisse qui a trouvé les mots les plus justes : une peinture, écrivit-il, est « comme un livre sur le rayon d'une bibliothèque ne montrant qu'une courte inscription qui le désigne, [et qui] a besoin, pour dévoiler ses richesses, de l'action du lecteur qui doit le prendre, l'ouvrir et s'isoler avec lui[16] ».

LA VIERGE MARIE, SOUVENT ARMÉE D'UN LIVRE, a été plus fréquemment représentée dans la peinture de la Renaissance qu'aucune autre figure religieuse à part le Christ. Mais cette Annonciation (v. 1425–1430, page ci-contre) est-elle l'œuvre du Maître de Flámalle ou de Robert Campin ? Ou s'agissait-il d'une seule et même personne ? Avant *Les Vies des artistes* de Giorgio Vasari et les livres imprimés, le sujet choisi par les artistes offrait plus de clarté que leur identité même. *Marie Madeleine lisant* (1438, ci-dessus) est-elle de Rogelet de la Pasture, l'élève du Maître de Flámalle, et s'agit-il de l'artiste que nous connaissons sous le nom de Rogier van der Weyden ? La seule certitude, révélée au microscope, est le talent et la minutie extrêmes avec lesquels ont été peints les pages du livre et les minuscules marque-pages.

COMME BEAUCOUP DE GRANDES ŒUVRES, *Dérision du Christ* (1440), une des fresques du couvent de San Marco à Florence peintes par l'artiste connu depuis le XIXe siècle sous le nom de Fra Angelico – le frère dominicain Guido di Pietro – peut être interprétée de bien différentes façons. Le fait que saint Dominique (en bas à droite) lise un livre offre cependant une piste. La fresque, destinée à la cellule d'un moine, est une aide à la méditation et le saint est tout entier concentré (pour des raisons pratiques et non intellectuelles – la Bible contient le Monde vivant) sur la compréhension de la signification de la souffrance du Christ. La grande autorité associée au livre, contrairement à d'autres symboles religieux, sera plus tard récupérée par le savoir profane. Ici c'est l'artiste – un homme qui, selon Vasari, pleurait à chaque fois qu'il peignait un crucifix – qui lui confère en partie cette autorité.

LA DILAPIDATION JUSQU'À LA MORT de saint Étienne, le premier martyre chrétien, à laquelle assista saint Paul vers 34 après J.-C. a été abondamment représentée. Au début de la Renaissance Paolo Uccello l'a peinte en 1435 dans une œuvre pour le dôme de Florence ; à dix-neuf ans Rembrandt a fait de saint Étienne le sujet de sa première toile signée ; la scène inspira plus tard les préraphaélites dont Burne-Jones et Millais. Ici, sur l'un des nombreux panneaux destinés au maître-autel de San Domenico (1476) à Ascoli Piceno dans les Marches, le Vénitien Carlo Crivelli représente saint Étienne avec deux attributs : une palme, symbole de son triomphe spirituel sur le martyre, et un livre, pour son érudition.

SAINTE GENEVIÈVE, qui sauva Paris d'Attila le Hun à l'aide d'une prière en 451 puis des Francs treize ans plus tard en brisant leur blocus alimentaire, ne laissera pas ce démon déconcerté – déconcerté par un livre – l'interrompre dans son étude des Écritures. Sa réputation dépassait les frontières de la France ; même si ce panneau qui était au dos de *La Chute de l'homme* de Hugo van der Goes (après 1479) est la seule représentation flamande de la sainte, celle-ci était en Flandres la sainte patronne de plusieurs guildes. Le miniaturiste Alexander Bening (mort en 1519), qui était marié à une nièce ou sœur de Van der Goes, utilisa les dessins préparatoires du peintre pour ses manuscrits enluminés de l'École ganto-brugeoise. Cinq siècles plus tard, Van Gogh, « devenu hagard », se compare à Van der Goes dans plusieurs lettres à son frère – Van der Goes qui, convaincu de son absence de valeur, se retira dans un monastère et passa tout son temps à lire, inspirant en 1872 à l'artiste belge de la fin du romantisme Émile Wauters la toile *La Folie de Hugo van der Goes* (1872) à laquelle Van Gogh fait référence.

LE LIVRE TIENT UNE NOUVELLE FOIS le rôle principal ici dans la Vierge Durán de Rogier van der Weyden, peinte entre 1435 et 1438 sur deux planches de chêne de la Baltique datant du siècle précédent. La sagesse de la Vierge Marie est souvent symbolisée par un livre comme dans *Marie Madeleine lisant* (page 79), fragment d'un retable représentant la Vierge à l'Enfant avec des saints. Mais ici c'est l'Enfant Jésus qui attire toute notre attention. Certains spécialistes pensent qu'il feuillette l'Ancien Testament en partant de la fin jusqu'à la Chute de l'homme dans la Genèse afin de symboliser sa mission de rédemption. On n'aperçoit cependant qu'un B capitale en bleu.

ALORS QU'IL AVAIT UNE VINGTAINE D'ANNÉES, Raffaello Sanzio – Raphaël – a été invité à quitter Florence pour participer à ce qui fut le plus grand projet de sa vie : la décoration du Vatican. L'humaniste et historien Paolo Giovio (Paul Jove), dont on détecte l'influence profonde pendant la première moitié du XVIe siècle, lui commanda cette Vierge Marie (v. 1510), qui sera surnommée au XVIIIe siècle *La Madone d'Alba* car elle appartenait alors à la maison espagnole d'Alba. Ode parfaite à l'harmonie entre la forme et le sens, cette œuvre est quintessentielle de la Haute Renaissance : les figures de la Vierge (en habits classiques), de Jésus et de saint Jean Baptiste se détachent sur un paysage de campagne italien ; les événements qui vont suivre sont annoncés par la croix que porte Jésus pendant que sa mère garde sa page dans la bible avec son doigt.

LA TRADITION DE L'ENLUMINURE qui connut sa première véritable éclosion au temps de Charlemagne ne s'est pas éteinte avec l'invention de l'imprimerie. La beauté et la signification – religieuse et sociale – des livres enluminés étaient des raisons suffisantes pour qu'un artiste inconnu mais extrêmement talentueux crée cette nature morte en trompe-l'œil représentant un volume relié en vélin du début du XVIe siècle sur une page duquel on distingue une petite partie d'une scène de Crucifixion – un crâne au pied de la Croix et la figure de saint Jean. Cette œuvre figure dans l'inventaire de la Villa Medicea di Lappeggi près de Florence en 1669, peu de temps après la mort de son propriétaire, le prince Mattias de' Medici, gouverneur de Sienne, dont la mère était une Habsbourg autrichienne et la grand-mère maternelle bavaroise. Le panneau, sans doute destiné, comme le veut la tradition nordique, à une porte de bibliothèque, dénote cependant l'influence de la marqueterie italienne. Des artistes identifiés ont créé des œuvres extrêmement similaires, dont Ludger tom Ring l'Ancien (voir p. 196) au XVIe siècle.

BOTTICELLI A PEINT *La Madone du livre* à la tempera sur un panneau de bois en 1483 ; à l'époque, le *Horae Beatae Mariae Virginis* n'était que l'un des nombreux livres d'heures servant de livres de prières. Les détails dans le livre, et dans le reste de la peinture, sont extraordinaires au sens premier du terme. Le livre est ouvert sur deux passages du Livre d'Isaïe prophétisant la conception et la naissance du Christ tandis que la main de Marie repose sur les mots « que tout m'advienne selon ta parole ». Botticelli regardait par ailleurs en direction de l'avenir ; l'intérêt qu'il porta à la conception d'un livre imprimé reprenant ses illustrations de la *Divine Comédie* de Dante était très rare à l'époque. Ce n'est que plus tard que les artistes commencèrent à se passionner pour l'idée de marier art et livre.

QUAND GOETHE FIT ÉTAPE à Munich sur le chemin de l'Italie en octobre 1786, il nota la *unglaublichen Grossheit*, ou grandeur incroyable, des panneaux des *Quatre Apôtres* (1526) de Dürer. L'artiste avait commencé cette œuvre représentant ses modèles plus grands que nature en 1517, l'année où Luther cloua ses « quatre-vingt-quinze thèses » sur la porte de l'église du château de Wittenberg. Saint Jean, premier à gauche, et saint Paul, dernier à droite, étaient les disciples préférés de Luther. Le livre ouvert était un attribut de Jean et ici l'emphase protestante sur le Mot et non sur l'Église transparaît dans son Évangile (*Am Anfang war das Wort* – Au commencement était le verbe). Saint Pierre, à côté de saint Jean, attend ses directives. Dans son Évangile saint Marc, ici à côté de saint Paul, commence par affirmer que Jésus est le Fils de Dieu mais c'est Paul qui fournira l'interprétation.

QUE CE SOIT DANS UNE PEINTURE imprégnée d'un esprit humaniste (ci-dessus à gauche, une œuvre de l'Anversois Quentin Metsys, qui a aussi représenté Érasme avec un livre) ou exportant le maniérisme italien en Europe du Nord (ci-dessus à droite, une partie d'un retable de Maarten van Heemskerck) ou encore créée par un artiste profondément fidèle à la Contre-Réforme (page ci-contre, le portrait de la fondatrice d'un couvent carmélite près de Bergame par Giovanni Battista Moroni), les livres n'ont cessé de symboliser la piété féminine.

LVCRETIA NOBILISS. ALEXIS ALARDI
BERGOMENSIS FILIA HONORATISS.
FRANCISCI CATANEI VERTVATIS
VXOR DIVAE ANNAE ALBINENSE
TEMPLVM IPSA STATVENDV CVRAVIT.
M. D. LVII.

LES RAMIFICATIONS DE la Réforme sont représentées dans une peinture allemande anonyme intitulée *Martin Luther dans le cercle des réformateurs* (1625–1650). À la droite de Luther se trouve Jean Calvin, chef de file du protestantisme en France et en Suisse ; à sa gauche, Philippe Melancthon, figure intellectuelle des Luthériens. Les conséquences des actions de ces hommes se mesurent jusqu'à nos jours aussi loin qu'aux États-Unis, formés durant les XVIIe et XVIIIe siècle, la Corée du Sud et la Tanzanie que nous connaissons sous ce nom depuis le XIXe siècle ou encore la Chine qui connaît de nos jours une augmentation impressionnante de sa population protestante. Au premier plan, le pape observe la scène, le Diable à sa droite. Le fait que le triomphe des livres découle de la Réforme et de l'imprimerie ne signifie pas que Luther lui-même approuvait tous les livres ; il n'était en faveur que de ceux liés aux Écritures. Et les catholiques ne furent pas les seuls à utiliser les livres pour combattre le luthérianisme. L'humaniste et polémiste Johann Cochlaeus, dont le *Brevis Germaniae descriptio* (1512) louait l'imprimerie car elle avait permis la renaissance de la littérature classique, et non de la Foi, fut un adversaire acharné du fondateur du protestantisme.

PERKINS
LVTER
·P·MELANCTHON
·L·HVS

TROIS ARTISTES DU XVIIE SIÈCLE étroitement liés peignirent souvent des vieilles femmes en train de lire (mais ils réservèrent également le même traitement aux hommes). On s'accorde à penser que Rembrandt (page ci-contre) a pris pour modèle sa mère pour son portrait de la prophétesse Anna, et il est évident qu'il s'agit de la même personne dans la toile de Gérard Dou (ci-dessus à droite), qui a intégré l'atelier de Rembrandt le jour de ses quinze ans mais qui représente les pages de l'Évangile de saint Luc avec un sens du détail plus impressionnant. Jan Lievens (ci-dessus à gauche), ami et rival de Rembrandt à Leyde, exprima ce thème avec plus d'emphase.

MARIE-MADELEINE a parfois été honteusement comparée à une top model, et ne parlons pas de sa description en tant que femme du Christ dans le *Da Vinci Code*. Ces deux peintures qui nous donnent des clés pour comprendre pourquoi les artistes n'ont jamais cessé d'être fascinés par son allure sont l'œuvre d'artistes baroques – Paulus Moreelse (ci-dessus) qui était le premier dirigeant de la guilde des peintres de saint Luc à Utrecht qui permit aux artistes de s'émanciper de leur simple statut de membres de la guilde du sellier, et le Français Georges de la Tour (page ci-contre). Les livres et l'attitude contemplative indiquent que Marie Madeleine – « de laquelle étaient sortis sept démons » – s'est repentie ; le fait qu'elle soit dénudée et que la chandelle soit fumante suggèrent que la repentance ne va pas toujours de soi.

VERMEER S'EST CONVERTI au catholicisme sur ordre de la mère de sa future épouse. Ses onze enfants ont tous reçu des prénoms de saints catholiques. Son *Allégorie de la foi* (v. 1670–1672) reflète la position complexe du catholicisme dans les Pays-Bas protestants. Les Jésuites avaient des représentants à Delft dès 1612, mais la pièce que Vermeer représente derrière une tapisserie flamande ressemble beaucoup à une *schuilkerk*, une église cachée comme il s'en trouvait au moins trois dans la ville. La femme symbolisant la Foi a soit une bible soit un missel à ses côtés ; avec son pied posé sur un globe terrestre de 1618, elle rappelle, comme d'autres éléments dans cette peinture, le célèbre livre emblématique de Cesare Ripa, *Iconologia*, traduit en néerlandais en 1644.

NÉ À LÜBECK, SIR GODFREY KNELLER était un artiste qui rencontra la renommée en Angleterre et peignit cinq monarques britanniques à la suite en commençant par Charles II, mais également Louis XIV et d'autres souverains européens. Il fit preuve d'une hypocrisie des plus espiègles dans ce *Portrait d'une femme en sainte Agnès* (1705–1710), la martyre Agnès étant la sainte patronne de la chasteté et des victimes de viol. Le *New Monthly Magazine and Universal Register* expliqua dans son édition de mars 1814 que le problème tenait au fait que « la moralité de Kneller était loin d'être parfaite ». Avant d'épouser Susanna Cawley, la fille d'un homme d'Église, il « eut une intrigue avec la femme d'un quaker et on raconte qu'il l'acheta à son mari ». Le fruit de cette aventure est l'illégitime Catherine Voss, qui a très certainement servi de modèle pour Agnès et pour Marie Madeleine dans une autre toile. Alexander Pope se moquait de Kneller derrière son dos – non pas pour sa moralité mais plutôt pour sa vanité.

Ci-dessus · **AVANT D'ÉTUDIER À COPENHAGUE**, l'artiste danois Niels Bjerre a grandi dans une ferme près de Lemvig. Dans les communautés rurales l'élan religieux et ses manifestations sociales ne faiblirent pas tout au long du XIXe siècle comme l'illustre *Réunion de prière* (1897) de Bjerre. L'artiste se méfiait apparemment des nouvelles idéologies qui commençaient à se faire entendre et, comme beaucoup de ses contemporains qui n'avaient pas encore été exposés au doute moderne, il tenta de représenter « la vérité ». Dans ce but les livres étaient des plus importants pour les participants comme pour l'artiste.

Page ci-contre · **LES CONFLITS** du XXe siècle et les souffrances des populations mirent à mal la cohésion religieuse aussi bien que sociale. Un Georg Scholz affamé, de retour de la Grande guerre en France et en Russie et inspiré par l'esprit révolutionnaire qui soufflait alors en Allemagne, cherchait de la nourriture pour sa famille et demanda de l'aide à un fermier qui lui indiqua un tas de compost. Les personnages grotesques de *Fermiers industriels* (1920), dont les semblables s'étaient enrichis durant la guerre en stockant de la nourriture, sont sans doute sur le point de remplir le ventre d'un pasteur, que l'on aperçoit par la fenêtre. Paradoxalement, alors que les Nazis jugeaient Scholz dégénéré, celui-ci se convertit au catholicisme dans les années 1930.

Patent-Kurzstrohzuführung
Bote

QUELQUE PART LE LONG DE L'INTERSTATE 95 en Virginie se trouve un panneau à moitié effacé indiquant la dernière demeure de l'artiste originaire de Détroit Gari Melchers. Melchers avait quitté les États-Unis pour étudier à Düsseldorf et Paris avant de se rendre dans une colonie d'artistes dans le village hollandais de Egmond aan den Hoef où vivait déjà un autre artiste américain, George Hitchcock (voir p. 185). *La Communiante* (v. 1900) – inspirée de la jeune Petronella van den Burgh et dont le sujet est sur le point de rentrer en communion complète avec l'Église – est caractéristique du travail de Melchers dans son atelier de la Mer du Nord. La force de ce regard déterminé d'adolescente provient-elle simplement du livre qu'elle tient entre les mains ? Dieu n'était pas tout à fait mort, malgré les dires de Nietzsche, en ce début de XXe siècle.

IL EXISTE PLUSIEURS VERSIONS – créées entre 1912 et la fin des années 1920 – de cette toile de Marc Chagall représentant un rabbin qui s'arrête de lire un instant pour prendre une pincée de tabac à priser. Beaucoup d'historiens de l'art seraient d'accord avec Robert Hughes pour dire que Chagall était « l'artiste juif quintessentiel du XXe siècle ». Sous Hitler, en 1933, cette toile a été huée par la foule lorsqu'elle fut transportée sur un chariot dans les rues de Mannheim. L'artiste disait lui-même de ses tableaux qu'ils n'étaient pas « pas le rêve d'un seul peuple mais celui de l'humanité… » Quant à l'intensité de sa palette, Picasso a observé dans les années 1950 que quand Matisse mourrait, il ne resterait plus que Chagall pour comprendre ce qu'était la couleur.

QUAND ANDRÉ DERAIN EXPOSA à la Galerie Paul Guillaume, à Paris, durant la Première guerre mondiale, Guillaume Apollinaire évoqua sa grandeur spirituelle. Beaucoup des artistes qui allaient devenir célèbres au début du XXe siècle étudièrent, contrairement à la plupart de leurs héritiers du siècle suivant, l'art du passé. Derain et Matisse avaient travaillé ensemble durant l'été 1905 et les œuvres qui en résultèrent furent surnommées « les fauves ». La même année, le Louvre acheta une peinture du XVe siècle du maître avignonnais Enguerrand Quarton, la *Pietà de Villeneuve-lès-Avignon* (1455), dont on détecte l'influence sur la composition de *Samedi* (1911–1913) de Derain – œuvre qui n'était pas non plus sans rappeler certaines scènes d'Annonciation. Dans un environnement apparemment domestique une main se lève en signe bénédiction au-dessus d'un bol pendant que l'autre garde la page du livre utilisé pour le sacrement. Le samedi était considéré comme le jour de chagrin le plus intense face à la mort du Christ durant la semaine sainte. La religion, l'art et le livre n'avaient pas encore emprunté des routes divergentes.

GRANDE QUESTION S'IL EN EST : dans quelle proportion les artistes et les écrivains s'inspirent-ils de leur propre expérience ? La réponse de Stanley Spencer pourrait se trouver dans son *Separating Fighting Swans* (v. 1932–1933), représentatif d'une grande partie de son œuvre qui consistait à détecter le divin dans les événements de la vie quotidienne, l'obsession, la compassion, dans tout de fait. Sa passion pour Patricia Preece – tenant ici un livre et qui allait devenir sa seconde épouse lors d'un mariage qui ne sera jamais consommé, le fait qu'il sépara deux cygnes qui se battaient dans un parc de Poole dans le Dorset, un souvenir de plage en pente, ses propres dessins d'anges – tout se combine dans cette étrange image religieuse dans laquelle l'un des anges offre une bénédiction généreuse.

GALERIE 2

« *L'*AMOUR DU LIVRE » *et la* MAISON

ROBERT WILLMOTT (1809–1863) PUBLIA EN 1851 *Pleasures, Objects, and Advantages of Literature*. L'ouvrage remporta un tel succès qu'il connut cinq éditions en Allemagne en l'espace des sept années suivantes. L'auteur résuma un jour « l'amour du livre » à ce « sentiment d'être chez soi – à ce doux lien qui unit la famille – et à cette source à jamais tarie de plaisir domestique[1] ». Il n'est pas étonnant que les artistes associent le livre à chaque aspect de la vie à la maison, avec une certaine emphase sur une intimité qui était parfois privée, souvent familiale, ou encore sociale comme dans la toile de Jean-François de Troy *Lecture dans un salon*, dite *La Lecture de Molière* (v. 1728), dans laquelle six personnes écoutent une septième lire dans un salon rococo[2].

La lecture à la maison possède une longue histoire : dans un manuscrit enluminé du XIIIe siècle on voyait déjà un moine lire au lit. Mais les artistes ont mis beaucoup de temps à ne plus seulement considérer le livre comme un symbole de statut social, de savoir ou de dévotion, et à déplacer le lecteur ou la lectrice dans un environnement plus « privé ». Dans le portrait que W. M. Prior peignit en 1843 de Nancy Lawson – l'une des rares femmes noires libres dans le Sud américain avant l'abolition de l'esclavage –, celle-ci apparaît dans une pose très formelle avec un livre à la main, sa sévère robe agrémentée de dentelle comme c'était la mode à l'époque[3].

Le changement, comme toujours, n'est pas apparu simultanément partout. Statut et formalité ont continué de régner dans les représentations d'intérieurs et les livres à ne pas être considérés comme des vecteurs de plaisir. Les personnages solitaires demeurèrent communs. Le conte de Schomberg, officier de l'armée française, apparaîssait certes détendu, levant les yeux un instant de son ouvrage de Voltaire[4],

---

BEAUCOUP D'ÉCRIVAINS MASCULINS du XVIIIe siècle se sont, comme Condillac, émus du fait que les femmes ayant des cerveaux « impressionnables », la lecture de romans pouvait s'avérer dangereuse pour elles. Son collègue philosophe Diderot se plaignait plus rarement des artistes corrupteurs. Il avait à l'esprit Pierre-Antoine Baudouin, dont *La Lecture* (v. 1760) montre une femme apparemment érudite à en juger par le globe et les volumes grand format mais sexuellement troublée par le roman qui lui tombe de la main – peut-être l'un des récits de séduction érotique de Crébillon. Le beau-père de Baudouin, François Boucher, s'était montré un peu moins grivois avec son *Odalisque blonde* (1752) dont le modèle – un livre non loin d'elle – était disait-on une des maitresses de Louis XV, Louise O'Murphy.

dans le portrait (1764) de l'artiste aux mille talents Louis Carmontelle (1717–1806) mais sa vie n'avait rien à voir par exemple avec celle du monde bourgeois (en l'occurrence allemand) présenté dans le *Westermann's Monatshefte*, un périodique littéraire créé dans les années 1850. Les représentations par François Boucher au XVIIIe siècle de meubles convenant à la lecture, comme la duchesse ou la bergère, ne donnaient pas non plus l'impression que ceux-ci étaient faits pour des familles heureuses et détendues à leur domicile.

Durant la lente ascension des classes moyennes au XIXe siècle et la progression des valeurs familiales qui allait de pair, la sentimentalité menaça de devenir un motif dominant en art. Reconnaissons toutefois que dans le cas de l'association entre bonheur et lecture, tout partait d'un bon sentiment. Mais dans *Intérieur, femme lisant* (1880, p. 134-135), Gustave Caillebotte nous offre une vision inattendue d'une scène de vie domestique apparemment heureuse : un certain malaise transparait subtilement entre le mari lisant son livre et la femme son magazine, séparés littéralement sur la toile et symboliquement dans la scène elle-même. De même, alors que les groupes de lecture suscitaient généralement beaucoup d'enthousiasme, les livres semblent ne pas avoir plus de valeur que des sucreries aux mains des aristocrates frivoles courtisant leurs compagnes dans l'aquatinte *Les Visites* (1800) de Philibert-Louis Debucourt[5].

D'autres artistes ont exprimé une profonde fascination pour la lecture. Honoré Daumier a en particulier créé une multitude d'images montrant comment, dans toutes les classes sociales, l'amour du livre transparaissait dans toute la maison – que ce soit au lit, dans le bain, dans le boudoir ou au salon. Dans *La Lecture* (1905, p. 145) de Pierre Bonnard une femme de chambre est plongée dans un livre et les autres toiles de l'artiste représentant des domestiques montraient combien les livres étaient importants pour tous les membres de la maisonnée[6].

Il y avait quelque chose d'immédiatement crédible dans la peinture attribuée à l'artiste américain d'origine napolitaine Nicolino Calyo de la famille Haight (v. 1848), un portrait très traditionnel avec le livre posé sur les genoux de la mère. L'impression est la même avec le portrait de la famille Hatch peint par Eastman Johnson en 1870–1871 et dans lequel Alfrederick Smith Hatch – un important financier de Wall Street – et sa famille s'adonnent dans leur bibliothèque de la Cinquième Avenue à des activités multigénérationnelles mais sont comme « enfermés » entre un garçon à gauche et une fille à droite qui eux sont en train de lire.

Le livre, qui a comme toujours une fonction polyvalente dans l'œuvre de tant d'artistes, symbolise plaisir, amitié et liens familiaux, mais aussi réflexion silencieuse, isolement, ou discorde dans le lieu où nous vivons : chez nous. C'est en quoi il nous a aidés à nous comprendre nous-mêmes[7].

CETTE FRESQUE créée vers 1464 et représentant Cicéron enfant lisant est la seule œuvre non religieuse connue du grand peintre lombard de la seconde moitié du XVe siècle Vincenzo Foppa. Son importance ne doit rien à sa reconstitution de la Rome antique – au contraire, le précoce Cicéron, identifié par les initiales M. T. (Marcus Tullius Cicero), semble tout droit sorti de la Renaissance avec ses vêtements et son *studiolo* à l'atmosphère très humaniste. Il s'agit plutôt du fait que le livre que Cicéron lit, celui qui est ouvert sur la table ainsi que ceux qui sont dans la niche à droite non seulement symbolisent mais aussi incarnent le savoir, quel que soit l'époque. Le message nous est parvenu, bien que la peinture ait failli ne pas survivre. Cadeau du duc de Milan, Francesco Sforza, à Cosimo de' Medici, elle était installée dans la banque Medici de Milan qui fut détruite dans les années 1860 pour faire place à un autre monument culturel, la Scala.

LA LECTURE À LA MAISON allait, après la Réforme, s'imposer lentement mais surement jusqu'à finir par incarner à l'époque moderne la quintessence du confort domestique. En voici une représentation datant des tout débuts, mais elle est paradoxalement le produit de la *Contrarreforma*, la Contre-Réforme espagnole. Dans *La maison de Nazareth* (v. 1640), Francisco de Zurbarán utilise des objets quotidiens familiers pour exprimer les principes du concile de Trente (1545–1563), le congrès catholique qui fut à l'origine de la Contre-Réforme. Le décor est informel mais il n'y a aucune ambigüité quant aux symboles. La Vierge Marie (à droite, identifiable aux lys et aux roses) pleure à l'idée de la mort prochaine de son fils. Le Christ adolescent se pique les doigts en créant une couronne de ronces : sa destinée est ici inscrite. La table, et ses livres, opère un transfert de l'autel vers la maison.

ON PENSE – grâce à une inscription au dos de la toile – que Marie Adélaïde de France (1732–1800), fille de Louis XV, est le sujet de cette peinture de l'artiste suisse Jean-Étienne Liotard. Les relations entre le père et la fille connurent des hauts et des bas, en particulier quand avec ses frères et sœurs elle tenta s'opposer à la liaison du monarque avec Madame de Pompadour. Marie Adélaïde ne s'est jamais mariée et a connu une vieillesse malheureuse mais à l'époque du portrait de Liotard (v. 1748–1752) où elle porte un ensemble turc à la mode, elle était proche de son père. L'artiste était tombé amoureux de Constantinople dans les années 1730 lors d'un voyage en compagnie du vicomte Duncannon et d'autres membres de l'aristocratie britannique. Il adopta la culture turque à tel point qu'avec sa barbe et ses vêtements il fut surnommé « le peintre tuc ». Joshua Reynolds était moins généreux dans sa description du peintre quand il déclara qu'« avec son apparence il pourrait passer pour un charlatan ».

LES PORTRAITISTES DU XVIIIE SIÈCLE aimaient représenter des jeunes femmes lisant, discrètement aguicheuses et délicieusement timides. L'artiste d'origine véronaise Pietro Rotari (1707–1762), qui découvrit l'œuvre de Jean-Étienne Liotard quand il se rendit à Vienne dans les années 1750, peignit beaucoup de telles jeunes filles, leurs lèvres dépassant parfois de leur livre ou – dans au moins une toile – leurs yeux invitant seuls à l'intimité. Il était loin le temps de Bronzino et de son *Portrait d'une jeune fille tenant un livre* (v. 1545, page 124). Rotari était populaire à la cour de Dresde mais aussi à celles de Saint Pétersbourg et Vienne. Un siècle plus tard, Mary Farquhar – une des nombreuses femmes très instruites qui écrivit sur l'art au XIXe siècle – décréta que c'était plus grâce à son charme et à la « faiblesse des autres » qu'à ses propres « vertus ».

EN 1771, J. D. T. DE BIENVILLE expliquait dans *Nymphomanie, ou traité de la fureur utérine* que la lecture pouvait provoquer des convulsions chez les femmes. Cet auteur n'était visiblement pas sensible à la grande, et triste, histoire d'amour au XIIe siècle entre Héloïse et Abélard dont la femme sur cette toile (v. 1780) d'Auguste Bernard d'Agesci lit la correspondance. Héloïse écrivit dans sa première lettre qu'elle préférait « l'amour au mariage, la liberté à une chaîne ». Sur la table, près d'un billet doux se trouve aussi un exemplaire de *L'Art d'aimer* de Pierre Joseph Bernard, surnommé Gentil-Bernard par Voltaire pour ses vers érotiques légers. Les femmes en pamoison perdant le contrôle d'elles-mêmes étaient un sujet de prédilection pour les premiers romanciers et les hommes influents du XVIIIe siècle recommandaient – comme dans cet article de la *Critical Review* britannique de décembre 1764 – que les lectures se fassent en famille sous le contrôle du patriarche.

RÉUSSIR À FAIRE POSER Diderot nu relevait de l'exploit, même si la liaison tumultueuse du philosophe avec la dame qu'il appelait « Madame Therbouche » le conduisit plus tard à suggérer que le soutien qu'il lui apporta fit que tout le monde pensa qu'il avait couché avec « une femme pas exactement jolie ». Anna Dorothea Therbusch, née à Berlin de parents polonais, peignit cet autoportrait vers 1776–1777. Elle était d'âge mur et myope quand elle quitta son mari aubergiste et ses trois grands enfants pour tenter sa chance en tant que peintre à la cour. En 1765, elle s'installa à Paris où elle s'évertua à prouver que les femmes étaient capables d'autre chose que d'être des écervelées aguicheuses et que les grands artistes n'étaient pas tous des dieux masculins. Elle échoua mais ce fut un échec magnifique.

VOICI CE QU'ON APPELLE en anglais une *Conversation Piece*, un portrait typique de la peinture anglaise du XVIIIe siècle dans lesquel l'attitude des personnages est aussi distinguée que leurs biens – des livres et des statuettes néoclassiques dans cette toile attribuée à Richard Brompton (v. années 1770). Généralement, de telles peintures ne reflétaient pas fidèlement le genre de vie que menait l'artiste. Dans le cas de Brompton, l'artiste et professeur d'art Edward Edwards écrivit en 1808 que « sa vanité le conduisait continuellement à des folies ». Tout commença bien puisqu'il fut présenté au prince de Galles par le comte de Northampton, vécut sur George Street, Hanover Square, et devint peintre de la cour de la Grande Catherine, mais il passa aussi du temps en prison pour dettes.

LA TOILE DE PIETER FONTEYN, *La Femme déchue* (1809), louvoie entre l'amoralité du XVIIIe siècle et la respectabilité sociale (accompagnée de plaisirs privés) du siècle suivant qui préconisait que les « femmes déchues » pouvaient être « sauvées » en étant mises au travail. Le livre ouvert fait référence au « siège et à la conquête sanglante du fort Rosenheim » – peut-être une allusion à la défaite autrichienne de Rosenheim en Bavière, conséquence de la victoire française à la bataille de Hohenlinden (1800), ou aux suites sanglantes de la bataille de Campo Tenese en 1806 qui avait vu les Français pourchasser le général de l'armée royale napolitaine Rosenheim. Mais la seule bataille à l'œuvre ici est celle qui est menée pour la vertu de la femme qui tient une rose jaune, couleur de l'infidélité.

PUISQUE LES FEMMES, réputées impressionnables, trouvaient de plus en plus de plaisir à lire de la fiction, les artistes mâles voulurent les mettre en garde contre l'érotisme émanant des romans pervertisseurs. Dans cette toile intitulée *La Liseuse de romans* (1853), l'artiste belge Antoine Wiertz choisit la pause avec attention : la femme est installée sur le dos, les jambes légèrement écartées, son corps se reflétant dans le miroir pendant qu'une sinistre figure jaillit de derrière un rideau pour déposer à ses côtés encore plus de littérature émoustillante. Nous sommes face à du Rubens mélodramatique, ce qui n'a rien de surprenant puisque Wiertz avait côtoyé les romantiques à Paris à la fin des années 1820, entre autres Géricault qui avait alimenté son idolâtrie de l'artiste flamand.

« **UNE JEUNE FILLE CHARMANTE** qui, à la tombée de la nuit, s'agenouille devant le feu pour dévorer à la lumière de son embrasement la fin du récit à sensations qui l'envoûte », écrivait le *Times* le 27 mai 1863 dans son compte rendu de l'exposition de la Royal Academy où apparaissait cette œuvre, *The Last Chapter*, de Robert Braithwaite Martineau. Les romans à « sensations », parsemés d'adultères, de mariages en cachette, de passions secrètes ou scandaleuses étaient l'opium de l'époque. Citons *Lady Audley's Secret* (1862) de Mary Elizabeth Braddon et sa suite, *Aurora Floyd*, parue la même année que cette toile. Mais Martineau, qui avait étudié auprès d'Holman Hunt et partagé un atelier avec lui pendant la décennie précédente, capture quelque chose de plus intéressant que Wiertz (page ci-contre). Même si l'iconographie est d'inspiration religieuse, aucun sacrilège n'est ici à déplorer : cette lectrice est énigmatiquement heureuse ; elle n'est ni dépendante ni en danger. Elle incarne simplement l'idée qu'un bon livre est source de grand plaisir.

VOICI UNE FAMILLE pour laquelle les livres ont joué un rôle déterminant. Cette toile d'Hogarth, *The Cholmondeley Family* (1732), est à l'origine un hommage posthume à la mère, que l'on voit à gauche avec des putti au-dessus de la tête. Lady Mary, fille du premier ministre britannique sir Robert Walpole, avait en effet succombé à la tuberculose l'année précédente à Aix-en-Provence. Son mari George, vicomte Malpas et troisième comte de Cholmondeley, regarde dans sa direction. Il exsude le sérieux de l'âge mur, sérieux provenant non seulement du fait qu'il a surmonté son chagrin mais aussi de l'ampleur des connaissances contenues dans les rayons de sa bibliothèque. Les garçons, Robert et George, jouent avec une pile de livres sur la droite, leur innocence d'enfants n'étant pas encore menacée par l'éducation stricte qu'ils vont sans aucun doute recevoir. Le chien sur le sol, doté d'un sens infaillible de la situation, préfère détourner le regard.

UNE RESPIRATION BIENVENUE après la période révolutionnaire en ce début de XIXe siècle. L'artiste, Joseph-Marcellin Combette, venait du Jura, département créé pendant la Révolution française. Cette époque turbulente est loin des esprits dans cette harmonieuse scène de famille : le père est un patriarche attentif ; la mère est la modestie incarnée et aide les enfants à jouer et bien sûr à apprendre par l'intermédiaire d'un livre.

Ci-dessus · **SUR CETTE TOILE UN PÈRE** est en train de lire sans être manifestement dérangé par les activités de ses enfants tandis que la mère semble se demander s'ils ne sont pas un peu trop exubérants. *Mr and Mrs Hayward with their Children* (1789) de sir William Beechey a été peint après que l'artiste quitta la petite ville de Norwich pour tenter sa chance à Londres. Il s'installa sur Brook Street, dans le quartier de Mayfair, et après être devenu portraitiste officiel de la reine Charlotte, il peignit d'autres membres de la famille royale. Cet artiste était « l'heureux bénéficiaire d'une célébrité étendue », comme l'écrivit *The Gentleman's Magazine* dans sa nécrologie en 1839. Les historiens de l'art eurent tôt fait de se montrer moins indulgents : dans son livre sur l'École anglaise publié pour la première fois en 1865–1866 Samuel Redgrave le qualifie de « respectable peintre de second rang ».

Page ci-contre · **COMMENT UNE FAMILLE** devait-elle se comporter en privé à l'époque des Lumières ? Dans cette œuvre datant de la fin des années 1770, le père lit à haute voix – comme son geste de la main le laisse à penser – à son épouse et sa fille alors que celles-ci sont en train de confectionner des décorations pour leurs robes. Dans une autre pièce le fils est en train de dessiner un buste classique. La grisaille au-dessus de la porte présente une scène de lecture similaire mais se déroulant à une tout autre époque. Cette toile où un livre joue un rôle central exsude le calme, la sophistication, la bienséance, l'attention et la méticulosité. On ressent chez cet artiste inconnu l'influence de Johann Heinrich Tischbein l'Ancien (1722–1789), peintre à la cour de Hesse-Cassel.

Ci-dessus · **AGNOLO DI COSIMO**, l'artiste maniériste plus connu sous le nom de Bronzino, était peintre à la cour de Cosme Ier, duc de Florence. Dans son *Portrait d'une jeune fille tenant un livre* (1545), il représente un personnage à l'élégance détachée – certains diront glaciale –, réservée et sophistiquée. Poète à ses heures perdues, il admirait Pétrarque dont il fait lire les *Sonnets à Laure* écrits deux siècles plus tôt à une autre jeune fille, Laura Battiferri, dans un portrait similaire (v. 1555–1561). Les deux femmes incarnent ce que Pétrarque appelait « une beauté inaccessible, inatteignable », en référence à sa propre histoire d'amour non partagée. Deux cent ans plus tard le monde avait, comme on peut le voir page ci-contre, changé mais peu.

Page ci-contre · **DANS CE PORTRAIT** commandé à George Romney, Elizabeth et Sophia Cumberland lisent la dernière pièce de leur père Richard, *The Fashionable Lover*. L'ainée peut sans doute saisir la signification de cette comédie dramatique mais la cadette ne peut être que décontenancée par son intrigue.

WILLIAM-ADOLPHE BOUGUEREAU, l'artiste qui a peint *Le Livre de fables* (1877), était souvent raillé par les artistes progressistes de sa génération. Une « bouguereauté » était l'un de ces artifices ou dispositifs malhonnêtes dénoncés entre autres par les impressionnistes. Gauguin était un des plus hostiles et raconta qu'il avait été très heureux quand il était tombé sur deux Bouguereau dans une maison close à Arles – le seul endroit qui puisse selon lui les accueillir. Derrière le sentimentalisme de cette toile, se cache une histoire triste : Bouguereau avait perdu sa fille de cinq ans de la tuberculose en 1866, un fils en 1875 puis sa femme et un bébé l'année même de la création de cette toile.

GUSTAVE CAILLEBOTTE participa avec l'aide de Renoir à la deuxième exposition impressionniste de 1876. Quand il mourut en 1894, Renoir fut son exécuteur testamentaire et se lia d'amitié avec son frère Martial alors qu'ils devaient faire face à l'hostilité des académiciens envers les impressionnistes et négocier avec l'État français le legs de la collection Caillebotte. Ici Renoir a représenté les enfants de Martial en 1895. Malgré une certaine ambivalence des genres – Jean, le garçon est à gauche –, la bataille séculaire entre les sexes est symbolisée par le fait que Geneviève cherche à empêcher son frère ainé de lire le livre ouvert sur ses genoux et ceux qui sont à côté d'elle.

Ci-dessus · **LA TOILE DE FEDERICO ZANDOMENEGHI** *La Jeune Fille lisant* (années 1880) était une nouvelle illustration de l'idée que sensibilité et intelligence venaient en lisant. D'origine vénitienne, Zandomeneghi, contrairement aux artistes italiens de son époque, adopta l'impressionnisme et devint l'ami de Degas et de Renoir après son arrivée à Paris en 1874.

Page ci-contre · **GAUGUIN N'EXAGÉRAIT PAS** quand il a une fois confessé que la pratique de son art s'était faite aux dépens de sa vie de famille. Cependant, à l'époque où il peignit ce portrait de son fils préféré, Clovis (v. 1886), il déclara que celui-ci était « héroïque », qu'il « ne demande rien, pas même à jouer, et il va se coucher ».

APRÈS LA PARUTION d'une nouvelle traduction de l'*Enfer* de Dante, Ingres peignit au moins sept portraits des deux amants Paolo et Francesca (celui-ci date de 1819). D'autres artistes, de Dante Gabriel Rossetti à Ernst Klimt, ont été captivés par leur histoire tragique dans laquelle un livre joue un rôle clé (« plusieurs fois » la « lecture attira nos regards l'un vers l'autre »). Francesca, fille d'un noble de Ravenne, est forcée d'épouser un homme beaucoup plus âgé qu'elle, Giovanni Malatesta. Paolo, avec lequel elle lisait les amours de Lancelot et Guenièvre, est le jeune frère de Giovanni. Après une étreinte interdite ils seront assassinés par le mari jaloux.

LA PEINTURE D'HISTOIRE, si populaire au XIXe siècle, offrait souvent aux livres un rôle central dans les situations extrêmement dramatiques. *Édouard V, roi mineur d'Angleterre, et Richard, duc d'York, son frère puiné* de Paul Delaroche connut un grand succès à Paris au Salon de 1831 alors que la monarchie française connaissait un regain de popularité avec l'accession au trône l'année précédente de Louis Philippe. Le jeune roi anglais Édouard (à droite) et son frère Richard sont sur le point d'être assassinés – un crime particulièrement atroce contre un monarque sanctifié par Dieu. Sur la page de gauche du livre de prières enluminé se trouve une Annonciation. La scène, rendue célèbre par Shakespeare dans *Richard III*, avait un équivalent dans l'histoire de France avec la mort de Louis XVII encore enfant à la prison du Temple en 1795. Sa mère, Marie-Antoinette, a été représentée juste avant qu'elle ne soit guillotinée par Anne-Flore Millet, marquise de Bréhan. La reine n'a pas entre les mains un livre de prières mais une biographie d'une autre reine exécutée : Marie, reine d'Écosse.

POURQUOI DANS CETTE TOILE d'Édouard Manet de 1868 madame Manet – la pianiste d'origine hollandaise Suzanne Leenhoff – affiche-t-elle un air si détaché alors que son fils, Léon Köella-Leenhoff, est en train de lire ? Le mystère reste aussi entier que celui de l'histoire de ce foyer. Suzanne était professeur de piano quand le père du peintre, Auguste, la présenta à ses deux fils. Elle avait 19 ans et Édouard 17. Léon naquit en 1852 et Édouard devint son parrain. Personne ne sait avec certitude si cet enfant, né hors des liens du mariage, était le fils d'Édouard, de son père, ou d'aucun des deux. Il fut le sujet masculin le plus peint par Manet. Suzanne et Édouard finirent par se marier en 1863, après la mort d'Auguste.

LE PREMIER USAGE du mot « myopie » est en général attribué à Galien au IIe siècle de notre ère à Rome. Au XIXe siècle, un commandant de l'armée britannique attribua les problèmes de vision de ses officiers à la lecture – le reste de la troupe généralement illettrée ne rencontrant pas ce problème. Plus tard dans le siècle, l'importance de plus en plus grande prise par la lecture, en particulier dans le domaine de l'éducation, renforça cette connexion et déboucha en Allemagne sur des régulations concernant la taille des caractères dans les manuels. Le peintre d'origine bruxelloise Alfred Stevens, dont *La Myope* date de 1903, avait été jadis un des clients assidus du Café Guerbois à Paris en compagnie de Manet, Degas ou encore Baudelaire ; Delacroix avait été témoin à son mariage. Sa grande réputation durant la seconde moitié du XIXe siècle était largement due à ses représentations de femmes élégantes en phase avec leur époque. Cette toile semble indiquer que toutes n'étaient néanmoins pas séduites par l'usage de plus en plus recommandé de verres pour corriger les défauts de vision.

GUSTAVE CAILLEBOTTE AMUSA la critique avec sa toile *Intérieur, femme lisant* (1880) : Henri Trianon trouvait que l'homme ressemblait à une poupée, un jouet d'enfant ; Paul de Charry que le peintre avait représenté un nain et une géante ; Paul Mantz que le couple exprimait une sensualité ultime – la séparation des corps. Caillebotte, qui était célibataire et vivait avec son frère Martial, était assez solitaire à cette époque même si certains pensent que la femme lisant *Le Charivari*, à moins que ce ne soit *L'Evénement*, est Charlotte Berthier, sa jeune maîtresse d'origine modeste. Le portrait que Renoir fit d'elle en 1883, même s'il n'apporte pas de preuve formelle, nous pousse à le penser.

L'ADMIRABLE EMMA LAMM rencontra celui qu'elle ne cesserait d'encourager et d'apaiser, le peintre Anders Zorn, après avoir demandé à sa mère au début des années 1880 qu'on fasse un portrait d'elle. Le mariage entre cette jeune femme d'une riche famille de marchands juifs et cet artiste venant d'un village de fermiers fut très heureux, contrairement à ceux de beaucoup de peintres. Ce portrait date de 1889.

LES LIVRES – ET UNE GRANDE HISTOIRE D'AMOUR. Prospérie Bartholomé – dite Périe – était la fille du marquis de Fleury. Elle était à la fois instruite, sophistiquée, séduisante, mais de santé fragile. L'artiste et écrivain Jacques-Émile Blanche a raconté les nombreuses soirées pendant lesquelles elle charmait les intellectuels tout autant que les artistes bohème de ses avis brillants sur les livres, la musique ou l'art. L'époux de Périe, Albert, fit ce portrait d'elle au pastel et au fusain en 1883. Quand elle mourut quatre ans plus tard, Albert, soutenu par son ami Degas, se mit à la sculpture en commençant par un monument pour la tombe de Périe dans le cimetière aujourd'hui désaffecté de Bouillant, à Crépy-en-Valois.

LA SEULE PERSONNE qui semble détendue et satisfaite dans cette toile de Philip Wilson Steer représentant Mrs Cyprian Williams et ses deux filles en 1891 est celle qui lit un livre. Steer ainsi que Mrs Williams elle-même et le commanditaire du portrait, Francis James, étaient membres de la jeune institution concurrente de la Royal Academy, le New English Art Club, tout comme James Jebusa Shannon (voir page ci-contre).

RUDYARD KIPLING A PUBLIÉ *Le Livre de la jungle* en 1894, un an avant que James Jebusa Shannon ne peigne *Jungle Tales*. L'artiste américain s'était installé à Londres et il représente ici son épouse en train de lire à leur fille Kitty (de profil) et à une amie de celle-ci. Les deux fillettes sont captivées par ces aventures sur des terres lointaines.

SIR JOHN LAVERY rencontra Mary Auras dans le quartier de Unter den Linden à Berlin en 1901 alors que celle-ci était âgée de seize ans. Elle fut le modèle de plusieurs portraits – dont celui-ci intitulé *The Red Book* – dans lesquels elle incarnait en ce début de siècle une synthèse moderne de la beauté. Portraits réussis puisqu'elle reçut, selon Arnold Bennett, cinq demandes en mariage en trois mois.

LE BAIN N'EST-IL PAS le meilleur endroit pour réfléchir à la vie et à l'amour en compagnie d'un roman qui éveille l'imagination semble suggérer le peintre Alfred Stevens, chroniqueur talentueux du chic parisien, dans cette toile de 1873–1874. Le roman ressort par définition de la fiction mais cette scène n'a très certainement pas été inventée.

Ci-dessus · **AVANT LA RÉVOLUTION,** la Russie était connue pour sa scène littéraire et bohème. À cette époque où on passait parfois d'un genre à l'autre, le peintre Boris Grigoriev publia lui-même un roman. Après avoir fui la le pays en 1919, il voyagea abondamment. Avec *Femme lisant* (v. 1922) il nous propose une vision très froide et peut-être très russe des plaisirs domestiques qui rappelle ses images de femmes de sa série lithographique de 1920 *Russische Erotik*. « Sauvage, mais non dénué de génie ! », dira de Grigoriev le romancier français désormais oublié Claude Farrère.

Page ci-contre · **CET INTRUS EST-IL SEULEMENT** en train de batifoler avec une femme de chambre ? L'apparent désarroi de la jeune femme, dont les habits sont en désordre et qui n'a plus ses chaussures aux pieds (ce qui pourrait signifier qu'un acte sexuel vient de se produire), pourrait amener à penser que le fils de la maison est coupable et qu'il exige le silence à propos de ses actions avant de reprendre le chemin de l'école avec ses livres. Une petite étiquette a récemment été découverte sur le châssis de la toile : elle indique qu'il s'agit d'une œuvre de Jean-Baptiste Greuze (1725–1805), intitulée *Le Compagnon*. Même si le sujet et le style font immanquablement penser à cet artiste, il est plus vraisemblable qu'il s'agisse de l'œuvre d'un disciple de Greuze ou d'Étienne Aubry (1746–1781), ou encore celle d'un artiste anglais imitant ce genre.

LES PEINTURES RACONTENT-ELLES de meilleures histoires que les livres ? Peu de temps avant que Vanessa Bell ne peigne *Interior with Artist's Daughter* (v. 1935–1936), sa petite sœur – Virginia Woolf – suggéra dans un hommage à Walter Sickert que les biographes étaient « piégés » par « ces misérables obstacles » qu'étaient « les faits ». Aucun de ses contemporains selon elle « n'écrivait la vie telle que Sickert la peignait ». Rien ne nous permet néanmoins de deviner ici qu'Angelica, la fille studieuse de Victoria Bell, n'était pas la fille de son mari Clive, mais celle de Duncan Grant, qui s'était installé à Charleston avec son amant David Garnett. Celui-ci non seulement assista à la naissance d'Angelica mais devint aussi plus tard son mari. Le « royaume silencieux de la peinture » – l'expression est de Virginia Woolf – est à la fois énigmatique et révélateur.

LES LIVRES SONT PARFAITS pour les moments de calme, autant pour les domestiques dont le taux d'alphabétisme avait enfin progressé que pour leurs maîtres et maitresses. Personne n'a aussi bien capturé l'intimité d'une scène d'intérieur que Bonnard, ici avec *La Lecture* (1905). Comme il l'a un jour expliqué, il s'inspirait pour ses sujets de gens et d'environnements qu'il connaissait. Il les observait, prenait des notes, réfléchissait. Son grand talent consistait à nous faire croire que nous n'étions pas des voyeurs intéressés par quelque chose de pourtant très intime.

« **EST-CE QU'UN HOMME** peut risquer sa réputation de célibataire, son indépendance et son confort pour se lancer dans un mariage étouffant, monotone et impitoyable sans trembler devant cette aventure ? » se demandait l'écrivain diplômé de Yale Donald Grant Mitchell dans *Reveries of a Bachelor, or A Book of the Heart*, un best-seller qu'il avait publié en 1850 sous le pesudonyme de Ik Marvel. L'auteur de cette toile, Charles D. Sauerwein, avait répondu par la positive en quittant Baltimore pour l'Europe en 1860, où il épousa une jeune Française de 19 ans.

L'ARTISTE ORIGINAIRE de Baltimore William McGregor Paxton gravitait autour de la « cité du raffinement » qu'était Boston, et peignit – outre les présidents Grover Cleveland et Calvin Coolidge – un grand nombre de femmes du type de celles que Christopher Newman, le héros de *L'Américain* (1877) de Henry James, jugeait les « meilleurs produits sur le marché » : belles, ordonnées, raffinées. Par extension les caractéristiques d'une bonne épouse pourraient s'appliquer à la femme de chambre de *The House Maid* (1910), entourée ici d'objets de collection raffinés, fruits des échanges commerciaux entre la Nouvelle-Angleterre et l'Asie de l'Est.

EN 1940, QUAND L'ALLEMAGNE envahit la France, Balthus s'installa dans une ferme près d'Aix-les-Bains. *La Salle à manger* (1942) est une des deux œuvres majeures qu'il commença à cet endroit. Le modèle des deux personnages était Georgette, fille d'un fermier voisin, qui raconta – selon Sabine Rewald – comment l'artiste lui avait demandé de s'agenouiller sur le sol dans la même position que Thérèse dans sa toile de 1937 *Les Enfants Blanchard*. L'intensité dégagée par Georgette est d'autant plus impressionnante qu'elle déclara plus tard que les livres ne l'intéressaient pas. La lecture était une activité semble-t-il épuisante car quand elle pouvait enfin faire une pause, elle s'endormait sur le divan.

Ci-dessus · **DEPUIS UNE DE SES PREMIÈRES TOILES** *Femme lisant*, peinte avant ses 25 ans, jusqu'à *La Liseuse au guéridon* (ci-dessus, 1921) en passant par *Femme lisant dans un jardin* (1902–1903), les sujets de Matisse s'intéressent manifestement aux livres. Lui-même, avec son éducation classique, était un grand lecteur. Il a créé plus d'une dizaine de livres d'artiste qui dans son esprit avaient une fonction double : être collectionnés en tant qu'objets d'art et être lus.

Page c-contre · **BORIS KUCHNO,** le secrétaire de Diaghilev, disait de Frosca Munster qui avait fui la Russie et vécu une grande histoire d'amour avec le peintre de cette toile, Christopher Wood, que sa beauté était aussi sereine que celle d'un modèle de Piero della Francesca. Sur la table se trouve la biographie qu'Emil Ludwig a consacrée à Napoléon – un modèle adéquat pour un artiste qui avait dit à sa mère qu'il voulait devenir le plus grand artiste ayant jamais existé. Il se suicida à l'âge de 29 ans – contrairement à Staline qui avait déclaré à Ludwig lors d'un entretien que « le marxisme n'avait jamais nié le rôle des héros ».

QUE PEUT BIEN LIRE ce triste clown de la *Commedia dell'arte* ? Juan Gris peignit *Le Pierrot au livre* en 1924, année où il créa des costumes et décors pour plusieurs productions des Ballet Russes de Diaghilev. Selon son marchand Daniel-Henry Kahnweiler, Gris était « un grand lecteur ». Il admirait en particulier le poète espagnol baroque Luis de Góngora et, dans la littérature en langue espagnole plus récente, Valle-Inclán et le poète nicaraguayen Rubén Dario. Il « vénérait Mallarmé » et un obscur écrivain français du nom de Pigault-Lebrun, mais aussi la série de romans ayant pour héros le célèbre criminel Fantômas. Il mourut, aussi mélancolique que son Pierrot, sans avoir l'opportunité de trouver en Kant et sa minutieuse et brillante analyse philosophique de la vie moderne le soutien qui lui aurait été nécessaire.

DURANT L'ÉTÉ 1915 Robert et Sonia Delaunay visitèrent le musée du Prado pour étudier les maîtres anciens. C'est là qu'ils virent *Diane et Callisto* (v. 1635) de Rubens dont on peut détecter l'influence dans *Femme nue lisant* (1915) – le portrait que Robert fit de Sonia dans son boudoir. Robert reprit ce motif dans un certain nombre d'œuvres similaires mais de moins en moins figuratives pendant les cinq années qui suivirent. Il s'intéressait beaucoup plus à la couleur et aux formes circulaires qu'à la représentation de la réalité – mais le plaisir de lire nu, en privé et installé confortablement était sans aucun doute une réalité pour les hommes et les femmes depuis de nombreux siècles.

PENDANT LES QUELQUES ANNÉES précédant la Première Guerre mondiale, Roger de la Fresnaye retrouvait régulièrement à Puteaux près de Paris d'autres artistes mais aussi des poètes et des critiques. Ces réunions furent à l'origine de la création du Salon de la Section d'or, la plus importante exposition cubiste de l'avant-guerre. Aristocrate et fils d'un officier de l'armée française, il est peu probable qu'il exprime le point de vue de la femme sur le mariage dans sa toile de 1912 *La Vie conjugale* mais les livres introduisent une certaine humanité dans cette image par ailleurs d'une grande modernité.

LE GOÛT DE LÉGER pour la technologie alors que la France tentait de surmonter la désolation de la Première Guerre mondiale donna naissance à des figures dépersonnalisées qui étaient cependant dotées d'humanité grâce aux livres réconfortants qu'elles tenaient entre leurs mains comme ici dans cette œuvre de 1924, *La Lecture*.

BRASSAÏ RACONTAIT que personne n'avait jamais vu Picasso un livre à la main. Mais tout comme dans *Femme lisant*, sa toile cubiste de 1909, un livre est présent dans ce portrait datant de 1932 de sa maîtresse Marie-Thérèse Walter. C'était un hommage au portrait qu'Ingres avait peint de madame Moitessier qui tenait, elle, un éventail.

GALERIE 3

PLAISIRS ÉTERNELS *en* EXTÉRIEUR

Une vieille chanson anglaise plaide pour « un coin ombragé », « Avec des feuilles vertes chuchotant au-dessus de nos têtes / Ou les cris de la rue tout autour de soi. / Dans lequel je puisse lire tout à mon aise – / À la fois le Nouveau et l'Ancien[1]. » On pourrait penser que les « coins ombragés » étaient devenus rares dans les villes après la Révolution industrielle mais notre niveau d'urbanisation actuel nous induit en erreur. Le succès de plus en plus grand rencontré par les livres ainsi que leur diffusion – une histoire véritablement linéaire qui pourrait déconcerter ceux qui n'ont connu que l'ère numérique – firent que tout environnement était devenu plus ou moins propice à la lecture sauf si une grande concentration était nécessaire.

Une fois que l'approche bourgeoise de la structure de la journée eut envahi la vie de tous les jours (mais avant que le manque de temps ne devienne la menace qu'il est aujourd'hui), un temps était alloué à chaque activité importante – dont la lecture.

Mais où ? N'importe où ! Même dans les gares bruyantes ? Les livres étaient de parfaits compagnons quand on attendait, parfaits quand on voyageait – ou même quand on se promenait dans la ville moderne. Dans *Le Chemin de fer* (1873, p. 176) de Manet, la petite fille, qui dans la vraie vie vivait dans un appartement donnant sur la gare Saint-Lazare, observe la fumée émise par un train qui passe pendant que Victorine Meurent – qui servit de modèle pour *Olympia* et apparaît ici pour la dernière fois dans l'œuvre de l'artiste – est assise un livre ouvert sur les genoux.

Parfois les trains emmenaient leurs passagers au bord de la mer. On pouvait faire l'aller-retour en train dans la journée entre Londres et la petite ville portuaire de Ramsgate à partir des années 1840. Dans son autobiographie, William Powell Frith dit de sa toile *Ramsgate Sands* (1854) qu'il s'agit de son premier sujet contemporain[2]. Dans cette scène noire de monde, au moins neuf personnes lisent – livres ou journaux – et jouissent de l'atmosphère conviviale sans pour autant que celle-ci n'empiète sur leur activité relaxante.

Alors que les voyages pour l'éducation culturelle ou le plaisir commencèrent à se multiplier au XVIIIe siècle, l'Italie devint un pôle d'attraction pour les Anglais effectuant leur « Grand Tour » mais aussi pour les autres aristocrates européens. L'artiste français François-Xavier Fabre, élève de David, s'était installé à Florence pendant la Révolution française. Ses clients et les touristes auraient apprécié en ce tout début du XIXe siècle les conseils de l'intendant Delonay prodigués grâce à son livre depuis les hauteurs de Florence.

Dans une des lithographies rehaussées à l'aquarelle de sa série *La Vie de château* (1833) Eugène Lami représente un homme envoûtant son auditoire en lisant à haute voix un livre de Victor Hugo[3]. C'était une activité répandue dans les maisons de campagne anglaises qui accueillaient les Français ayant fui la Révolution avant qu'ils ne retournent en France en 1815. À cette époque, les classes moyennes s'appropriaient enfin ce qui avait été depuis longtemps l'apanage de leurs maîtres d'autrefois : les joies de la nature qui se révélaient un décor parfait pour l'imagination éveillée par les livres.

Dès Vincenzo Foppa au XVe siècle et sa fresque *Cicéron enfant en train de lire* (p. 110) – certes dans une maison mais beaucoup d'importance est donnée au paysage à travers la fenêtre –, la lecture allait de pair avec l'idée que la beauté de la nature pouvait nous aider à méditer sur la vie[4]. Cette idée est explicite au XVIIIe siècle dans la toile bucolique de Joseph Wright of Derby représentant sir Brooke Boothby (p. 163) : celui-ci est perdu dans ses pensées tout en montrant du doigt le nom de son mentor, Rousseau, inscrit sur le dos de son livre. La nature pouvait-elle être domptée ? Il semblerait que cela soit le cas dans la toile de George Stubbs, *Lady Reading in a Wooded Park* (1768–1770). La femme porte une robe brodée en soie de Spitalfields très à la mode ; elle est indifférente aux intrusions policées, si ce n'est raffinées, de la nature – les fougères et les fleurs sauvages sur le côté, les liserons qui s'immiscent dans le banc parmi les arbres.

Les personnages silencieux et seuls dans un paysage, profondément absorbés dans leur monde livresque, pouvaient parfois, que cela soit ou non l'intention de l'artiste, dégager une impression de gravité. Corot, qui a peint de nombreuses scènes de lecture dans la nature et chez qui le livre est pourtant un symbole de rédemption, perd parfois ses lecteurs dans la noirceur d'un bois ou détourne notre attention d'eux à cause du pouvoir ténébreux de ses paysages.

La pose de Karolina Max un siècle plus tard dans la toile de l'artiste hongrois Gyula Benczúr, *Femme lisant dans les bois* (1875, p. 181), ou celle de la jeune femme allongée dans l'herbe dans l'aquarelle de Winslow Homer *The New Novel* (1877, p. 182-183) sont plus typiques. Les relations entre Homer et son modèle ont fait l'objet de beaucoup de spéculations : bornons-nous à dire que la lecture en plein air peut aider à saisir les émotions fortes décrites dans un livre.

Autrefois, la seule place appropriée pour un livre était l'église, le palais ou l'école. Au XVIIIe siècle les élites ont découvert, avec l'invention du roman, la lecture pour le plaisir puis celle-ci a fait partie de la vie de tous les jours grâce aux créateurs de la modernité : les bourgeois. Leurs artistes préférés regardaient ce qui se passait autour d'eux, comme le font toujours les artistes – et ils découvrirent des lecteurs partout.

IL Y A DE L'AMOUR dans l'air pour ce jeune homme habillé à la mode française et lisant de la poésie si l'on en croit l'œillet rouge posé devant lui. Mais le décor n'augure pas d'une union heureuse, ni du jardin de l'amour blakien. Espère-t-il trouver l'amour ou pense-il à celui qu'il a perdu ? Cette toile anonyme de l'Âge d'or de la peinture hollandaise, vers 1660, est dotée d'une certaine rigidité mais nous sommes en mesure de nous identifier avec cet inconnu. Le parcours de cette œuvre comme celui de beaucoup d'autres a été mouvementé puisqu'après avoir appartenu un temps à la collection Loughcrew, dans le comté de Meath en Irlande, elle a été achetée ou dérobée par Hermann Goering pendant la Seconde Guerre mondiale et est désormais conservée – comme il se doit – au Rijksmuseum.

SIR BROOKE BOOTHBY avait jeune homme rencontré Rousseau alors que le philosophe séjournait à Wootton Lodge, dans le Staffordshire. Rousseau lui confia plus tard la mission d'éditer (à ses frais) le premier volume de ses *Dialogues* autobiographiques. Dans cette toile commandée en 1781 à Joseph Wright of Derby le poète amateur montre du doigt le nom de Rousseau inscrit sur le dos d'un livre. Il désire échapper à la banalité en entrant en communion avec un paysage indompté – ou, comme l'a cruellement dit un jour Quentin Bell dans son ouvrage *On Human Finery* (1947), c'est « un Homme de la Nature qui se trouve être aussi le fils ainé d'un baronnet ».

SELON LE DICTIONNAIRE des peintres publié en 1870 par Frederick Peter Seguier, l'artiste Arthur Devis faisait un bon usage « des livres reliés en vieux veau brun qui trainent sur les tables ou dans les bibliothèques ». Il en a sorti un en plein air pour ce portrait de 1749 de la famille Swaine dans le Cambridgeshire. Le patriarche, John Swaine l'Ancien, marchand de draps londonien, est à droite ; son fils, qui porte le même prénom, tient un livre qui semble tout aussi à sa place dans la nature que la cane à pêche.

DANS SA TOILE *Life of Samuel Johnson*, James Boswell reproduit un extrait du journal de Johnson du 11 avril 1776 : « Un homme qui n'a pas été en Italie sera toujours conscient de son infériorité car il n'aura pas vu ce qu'on attend qu'un homme devrait voir. » C'est un prête catholique romain qui a introduit la notion de « Grand Tour » en vue d'étudier les antiquités et l'architecture dans un ouvrage publié en anglais à Paris, V*oyage of Italy, or A Compleat Journey through Italy* (1670). Le jeune homme dans ce portrait de Pompeo Batoni (v. 1760–1765) est, à en juger par son costume, sans doute français. Batoni a peint beaucoup de voyageurs à Rome durant leur Grand Tour. Le choix des livres sur la console n'est pas anodin puisqu'il s'agit de la seconde partie de l'*Odyssée* d'Homère, de guides de Rome ainsi que d'un volume de biographies d'artistes.

CAROLINE BONAPARTE, sœur de Napoléon et ennemie invétérée de la première épouse de celui-ci, Joséphine, devint reine de Naples après son mariage avec un des généraux de Napoléon, Joachim Murat. Cette scène bucolique peinte par le peintre sicilien Giuseppe Cammarano (1813), où le livre est un élément paisible, tranche avec l'époque turbulente – après plusieurs changements d'alliance, Joachim sera exécuté et Caroline envoyée en exil. Selon le très cultivé lord Francis Napier qui fut un temps ambassadeur britannique à Naples, Cammarano « était un mauvais peintre de la royauté et de l'Olympe » mais « un excellent homme[5] ».

LA PIAZZETTA À VENISE – extension au sud-est de la Piazza San Marco en direction de la lagune – a été peinte au début du XVIIe siècle par Luca Carlevarijs, pionnier des *vedute* de Venise, avant Canaletto et Guardi. Plus tard Ruskin surnomma les édifices de la Piazza « les livres d'histoire vivants », mais nous sommes face ici à de vraies personnes – colporteurs, mendiants, élégants aristocrates – et à de vrais livres sur les étals. Les Giunti, famille d'imprimeurs florentins, possédaient une presse à Venise dès 1489 et s'étaient spécialisés dans les textes liturgiques. D'après les archives officielles, ils les vendaient le dimanche sur la Piazza. Les *vagabondi* et *ciarlatani* se voyaient quant à eux refuser ce droit depuis des siècles.

LE PLAISIR DE LIRE était presque égalé par celui de découvrir un nouvel ouvrage. Luis Jiménez y Aranda a peint *Les Bibliophiles* en 1879. Il s'installa à Paris deux ans plus tard mais, contrairement à son frère Luis qui se fondit aisément dans le milieu culturel français, il retourna en Espagne, d'abord à Madrid puis dans sa Séville natale.

VOICI LES MUSES de la mythologie grecque, inspiratrices des arts et des sciences. Mais s'agit-il bien d'elles ? Maurice Denis les a habillées avec des vêtements que l'on portait en 1893, année où il a peint cette toile, *Les Muses*. Et ce bois sacré est en fait celui où l'artiste s'est marié cette même année, à Saint-Germain-en-Laye. Son épouse, Marthe Meurier, apparaît trois fois au premier plan : en muse de l'amour avec sa robe de bal, en muse de l'art avec un carnet de croquis et en muse de la foi avec un fascicule religieux et une coiffure traditionnelle.

COROT FIT REMARQUER au critique d'art et historien Théophile Silvestre[6] combien « ces pauvres enfants semblaient se plaire à la campagne ». La présence surprenante d'un personnage lisant à l'arrière-plan dans sa toile *La Toilette* (1859) était en fait destinée à symboliser un idéal arcadien – la campagne – qui permettait de s'échapper de nos vies quotidiennes sordides. Corot était certes admiré de beaucoup d'artistes dont Manet et Degas, mais Zola suggéra un jour qu'il devrait se débarrasser des nymphes de ses bois et les remplacer par de vraies paysannes.

LA LECTURE DANS LE TRAIN devint vite aussi populaire que les chemins de fer eux-mêmes. Certains moralisateurs de l'époque pointèrent l'opportunité manquée, si l'on lisait ou dormait, d'admirer le paysage par la fenêtre. Ici, il s'agit peut-être de Menton que l'artiste, Augustus Leopold Egg, avait découvert alors qu'il recherchait à cause de sa santé fragile un lieu au climat plus chaud.

LA LECTURE EN PLEIN AIR devint de plus en plus prisée au cours du XIXe siècle et – généralement – de plus en plus décontractée. Un certain paradoxe anime *Jeune Femme lisant* (v. 1866–1868) du grand peintre réaliste Gustave Courbet : son sujet semble si perdu dans le monde irréel de son livre qu'elle est totalement inconsciente de son apparence.

GRÂCE AU XIXE SIÈCLE et aux chemins de fer les livres débarquèrent au bord de la mer. Du sable s'est mêlé aux pigments de *Sur la plage* de Manet. La femme de l'artiste, Suzanne, lit tandis que son frère, Eugène – qui épousera plus tard Berthe Morisot – a le regard perdu en direction de la mer et de la petite station de Berck-sur-Mer où la famille a passé trois semaines pendant l'été 1873.

EN AOÛT 1911 Augustus John s'installa dans le Dorset avec sa concubine Dorelia (qui avait été lors de la décennie précédente la modèle et maîtresse de Rodin). Elle lit ici sur les bords du Blue Pool, un lac situé dans les anciennes carrières d'argile de Wareham Heath et dont le bleu intense, expliquait John, était dû aux particules d'argile qui flottaient dans son eau.

DANS L'ATELIER DE MANET rue de Saint-Pétersbourg, que l'on aperçoit en haut à gauche de sa toile *Le Chemin de fer* (1873), les fenêtres et le sol tremblaient au passage des trains de la Gare Saint-Lazare. La nouvelle ère des chemins de fer et du développement urbain offrit de nouvelles opportunités aux adeptes de plaisirs anciens qu'étaient les peintres et les lecteurs. Victorine Meurent, qui servit de modèle pour *Olympia*, est représentée ici avec la fille cadette d'Alphonse Hirsch, un artiste ami de Manet, dont le jardin donnait sur la gare.

GUSTAVE GEFFROY (voir p. 237) appelait Berthe Morisot une des « trois grandes dames » de l'impressionnisme (les deux autres étant Mary Cassatt et Marie Bracquemond). Elle avait déjà peint sa sœur, Edma Pontillon, avec leur mère lisant, en 1869–1870. Ici, dans *La Lecture* (1873), la pelouse de l'immense jardin d'Edma à Maurecourt dans les Yvelines est le décor idéal pour deux grands plaisirs : s'habiller à la mode et lire. Mais aucune des deux sœurs – qui étaient les arrière-petites-filles de Fragonard – ne prenait à la légère ses études artistiques et Berthe avait écrit à Edma, à propos d'une toile de Bazille, que le peintre avait réussi ce qu'elles avaient si souvent tenté : représenter une personne dans la lumière extérieure. Berthe montrera ce tableau à la première exposition impressionniste de 1874.

LA TOILE DE JAMES TISSOT *London Visitors* (1874)[7] a pour décor le portique Renaissance hellénistique de la National Gallery à Londres – un lieu qui selon William Hazlitt était un remède pour « les mesquineries et les passions fragiles ». Le *Times*, dans un compte rendu d'une exposition dans cette institution paru en mai de la même année, ne semblait pas porter dans son cœur ce « peintre français astucieux » – un adjectif ressortant presque de l'insulte dans la langue anglaise. Le cigare que Tissot s'est amusé à peindre sur les marches distrait la femme qui écoutait celui qui semble être une publicité vivante pour un tout nouveau genre éditorial, celui des guides de voyages. Dans une version ultérieure de cette peinture Tissot supprima le cigare fautif.

CE PASTEL DE DEGAS (1885) représentant Mary Cassatt au Louvre est remarquable pour plusieurs raisons. Degas choisit tout d'abord de ne montrer son amie – ils collectionnaient les œuvres l'un de l'autre – que de dos ; l'œuvre fait ensuite partie d'une série d'estampes, dessins, pastels et toiles qui tous traitent le même thème différemment ; sa composition saisissante doit beaucoup enfin aux nombreuses visites que Degas effectua à la boutique de produits d'Extrême-Orient La Porte Chinoise de madame Desoye au 220 rue de Rivoli pour discuter des principes de l'art japonais. La figure assise, munie de l'indispensable guide – le livre étant ici, comme toujours, au service de l'art –, est probablement la sœur de Mary, Lydia.

L'ARTISTE BRITANNIQUE D'ORIGINE NÉÉERLANDAISE Lawrence Alma-Tadema peint ici un champ de maïs à Godstone dans le Surrey et montre comment un livre – sur les papillons, à en juger par le filet – permet de ressentir intimité et plaisir dans cette sorte d'Arcadie anglaise aux meules de foin désordonnées. Le jeune lecteur, sir Henry Francis Herbert Thompson, intégrera Cambridge à l'automne suivant (1876) et se distinguera plus tard dans les domaines de la médecine, du droit et de l'égyptologie.

KAROLINA MAX – probable modèle de ce tableau de Gyula Benczúr et épouse de l'artiste – est manifestement une figure de la modernité ; sa pose est la même que celle de sir Brooke Boothby (p. 163) cent ans plus tôt, le narcissisme en moins. Benczúr était hongrois mais passa une partie de sa carrière sur le territoire allemand, peignant entre autres pour Ludwig II de Bavière. La toile a été exécutée à Munich où il enseignait les beaux arts.

UNE IMAGE PEUT RACONTER de nombreuses histoires. Pour le missionnaire Hollis Read, vitupérant contre Satan en 1872, les romans appréciés des jeunes femmes étaient des « âneries » remplies de « poison moral » et incitant à la « passion de la chair ». Il semblerait que Winslow Homer, qui était le seul célibataire des trois frères Homer et dont voici *The New Novel* (1877), ait peint ici la femme rousse ou blonde qu'il convoitait à l'époque. Personne n'a pu l'identifier avec certitude mais quand elle disparaît de ses œuvres, il se referme sur lui-même, devient solitaire et misanthrope et fuit les biographes. La jeune femme semble quant à elle apprécier la lecture d'un bon livre à l'air frais.

HOMER 1877

UN CRITIQUE A RÉCEMMENT AFFIRMÉ qu'aucun artiste n'avait autant représenté de livres que Corot. Ce tableau n'obtint pas les faveurs de Théophile Gautier au Salon de 1869. Le prolifique poète, romancier et dramaturge n'appréciait pas la figure (Corot retravailla plus tard le paysage – mais pas la femme). Les livres étaient toujours un symbole positif pour Corot, même si un autre critique français du XIXe siècle, Théophile Silvestre, maintenait que le peintre lisait lui-même très peu et qu'il était surtout intéressé par la forme et la couleur des livres qu'il achetait aux bouquinistes des quais parisiens : le livre remplit en peinture, comme toujours, plusieurs fonctions. L'œuvre rappelle Raphaël, que Corot aimait passionnément, en particulier *La Belle Jardinière* (1507) dans laquelle la Vierge tient un livre sur fond de paysage.

JAMES JEBUSA SHANNON compta parmi ses sujets Mrs John D. Rockefeller et la reine Victoria (en 1895 le *Munsey's Magazine* le qualifia de « peintre américain de la cour d'Angleterre »). *On the Dunes*, qui date des premières années du nouveau siècle, représente son épouse et sa fille Kitty (voir aussi p. 239) et a sans doute été peint quand la famille séjournait dans la maison de l'artiste américain George Hitchcock et de sa femme Henriette (surnommée « Gorgeous » ou « Miggles », selon Kitty Shannon) à Schuylenburgh, près de Egmond aan den Hoef, dans la province de Hollande-Septentrionale aux Pays-Bas.

GEORGE WASHINGTON LAMBERT, fils d'un ingénieur des chemins de fer de Baltimore, était né à Saint-Pétersbourg mais passa une grande partie de sa vie d'adulte en Australie. *The Sonnet* (v. 1907) était, selon l'artiste lui-même, fortement inspiré du *Concert champêtre* de Giorgione et/ou Titien (v. 1509). La femme nue est une création transcendantale issue du sonnet que l'homme est en train de lire. Le peintre a ici réuni dans un esprit quelque peu transgressif son ami artiste Arthur Streeton, l'actrice Kitty Powell – qui posait souvent pour lui et à qui il donna des cours de dessin – et, au premier plan, sa collègue artiste Thea Proctor avec laquelle, selon les rumeurs, il entretint pendant de longues années une relation amoureuse.

Ci-dessus · **DEUX MOTIFS SYMBOLISENT** à eux seuls les plaisirs liés aux jardins l'été au XIXe et au début du XXe siècle : le hamac et une jeune fille dans un hamac. De *Girl in a Hammock* (1873) de Winslow Homer à cette toile de sir John Lavery, *The Green Hammock* (v. 1905), les scènes, belles et envoutantes, sont l'incarnation de la notion de repos.

Page ci-contre · **L'ÉCRIVAINE MARIA MONNOM,** issue de la famille d'éditeurs bruxellois du même nom, épousa Théo van Rysselberghe en 1889 et fit par son intermédiaire la connaissance d'André Gide avec qui elle entretint une correspondance riche de 800 lettres. Van Rysselberghe peignit souvent sa femme avec un livre. Gide conçut – dans le plus grand secret – son seul enfant avec leur fille, Elizabeth : les mondes de l'art et de la littérature étaient souvent étroitement connectés.

L'ORDRE ET LE DÉSORDRE règnent dans *Noël au bordel* (1904–1905) d'Edvard Munch : Madame lit, les filles sur leur trente-et-un discutent, l'arbre de Noël est décoré mais l'artiste s'est représenté endormi sous les effets de l'alcool. L'annulation d'une commande pour un portait du beau-père du mécène allemand de l'artiste, Max Linde, l'avait mis dans un tel état d'anxiété que Munch s'était saoulé dans une maison close de Lübeck.

Ci-dessus · **LA TOILE DE FRED GOLDBERG** *Dimanche après-midi* (1930) est d'une objectivité cruelle. Dans cette œuvre typique de la *Neue Sachlichkeit*, l'artiste qui vécut plus jeune et plus âgé en Californie, tourne en ridicule un pique-nique de la petite bourgeoisie. Le journal sur l'herbe est le *Die Grüne Post*, « le supplément dominical pour la Ville et la campagne ». Au moins le contenu du livre semble-t-il assez intéressant pour compenser la position inconfortable de sa lectrice.

Page ci-contre · **GUY PÈNE DU BOIS,** qui fut à la fois peintre, écrivain, critique musical et critique littéraire s'est confié à *Life Magazine* en juin 1949 sur son passage à la New York School of Art dans la même classe qu'Edward Hopper et George Bellamy. Il était à l'époque fortement influencé par les idées réalistes radicales de Robert Henri, mais aussi par son expérience enrichissante de New York et des « bars du low Bowery ». Un temps voisin de F. Scott Fitzgerald à Westport, dans le Connecticut, il se réfugiait dans son atelier new-yorkais pour y trouver la paix et le calme. Cette scène de la Third Avenue date de 1932.

EDWARD HOPPER racontait que c'est sur Washington Park Square à New York qu'il avait remarqué les personnages de *People in the Sun* (1960) et qu'il les avait ensuite transférés dans l'Ouest américain pour les besoins de la toile. Ces cinq personnes – qu'aucune joie ne semble animer – sont chacune enfermées dans leur propre monde. Même si ce sont la structure, les volumes et les formes qui demeurent les préoccupations essentielles de l'artiste, l'homme avec le livre est le seul ayant la possibilité de s'échapper.

VIRGILIVS POETARVM EXCELLENTISSIMVS
VLTIMA CVMEI IAM VENIT CARMINIS ETAS
MAGNVS AB ETERNO SANCTORVM NASCITVR ORDO

GALERIE 4

« TOUT *ce que les* HOMMES CONSIDÈRENT *comme* SAGE »

DANS UN ARTICLE de 1823 intitulé « Mes livres », Leigh Hunt suggérait que les livres renfermaient tout au fond de leurs pages « les âmes rassemblées de tout ce que les hommes considéraient comme sage[1] ». Il y a presque deux mille ans, Pline l'Ancien dans son *Histoire naturelle* – une encyclopédie du savoir avant l'heure – expliquait que la civilisation et ses pratiques ne pourraient survivre sans l'aide d'un médium qui en garde la trace. Ce n'était pas seulement ce que le livre accomplissait ; c'était ce qui lui donnait son statut de garant de l'autorité, du savoir et de l'éducation.

Les heureux propriétaires d'appareils high-tech bientôt obsolètes devraient s'intéresser au fait que les rouleaux de papyrus de la bibliothèque d'Aristote, créés au IVe siècle avant notre ère, étaient considérés assez précieux par le général Sylla pour qu'il les transporte à Rome plusieurs centaines d'années plus tard. Et si le doute persistait, la chrétienté a ensuite doté le livre d'une autorité suprême en tant que vecteur de la parole divine. Saint François d'Assise, en faisant vœu de pauvreté, ne pouvait envisager de posséder des livres, mais quelques années après sa canonisation en 1228 il est représenté encore et encore avec un livre (au grand dam d'Isaac D'Israeli au XIXe siècle qui pensait que c'était faire offense à « la sensibilité du goût » que de représenter des anachronismes parmi lesquels il incluait aussi la Vierge Marie avec un livre sur une table[2]). Dans sa peinture à la tempera représentant saint François et six scènes de sa vie (1235) dans l'église San Francesco, à Pescia, Bonaventura Berlinghieri met certes l'emphase sur la pauvreté du saint par le biais de ses tenues de bure mais François tient désormais dans ses mains

---

PENDANT LA RENAISSANCE, le livre a bénéficié de l'autorité à la fois de l'Église et du monde séculier en pleine mutation. D'un côté, l'humanisme a placé le monde classique païen au centre de l'éducation ; de l'autre, l'Église a exploité les figures pré-chrétiennes dans son propre intérêt comme en témoigne cette peinture de Ludger tom Ring l'Ancien montrant de façon anachronique Virgile avec des lunettes et un livre relié. Saint Augustin et d'autres premiers pères chrétiens associaient les *Bucoliques* de Virgile (v. 40 av. J.-C.) à la prophétie de la naissance de Jésus. Quoi qu'il en soit, la souveraineté du livre en tant que source reconnue du savoir fut renforcée.

l'Évangile[3]. Quelques siècles plus tard, Dante Gabriel Rossetti symbolisera dans *The Girlhood of Mary Virgin* (1848–1849) le savoir vertueux inhérent à la Vierge par une pile impressionnante de livres[4].

À la Renaissance l'humanisme introduisit une nouvelle donnée : le savoir laïc. La présence de livres dans les portraits devint une condition sine qua non pour mettre en scène l'intellect. Saint Augustin et saint Jérôme n'étaient plus les seuls montrés en train d'étudier. Le livre faisait autorité en tant que support de la transcription et de la transmission du nouveau savoir – citons *Des révolutions des sphères célestes* de Nicolas Copernic ou *À propos de la fabrique du corps humain* d'André Vésale, publiés tous deux en 1543[5]. Que l'ouvrage imposant dans *La Leçon d'anatomie du docteur Tulp* (1632) de Rembrandt soit un Vésale ou peut-être une publication vénitienne récente d'Adriaen van der Spiegel, sa présence démontre que le livre était respecté comme vecteur de transmission du savoir pratique[6].

L'art ne s'était pas pour autant égaré dans le moralisme et il n'était pas devenu indifférent aux défis du monde temporel et aux vertus supérieures. Dans *Le Prêteur et sa femme* (1514) de Quentin Metsys, le mari est en train de peser des bijoux, de l'or et des perles, ce qui attire l'attention de sa femme qui néglige un instant son livre de prières. Mais tout n'était pas que symbole. La seconde édition des *Vies* de Vasari (1568) reflétait, tout du moins jusqu'à un certain point, un nouveau désir – celui de ne plus relayer d'histoires non vérifiées et de ne s'intéresser qu'aux faits.

Le savoir et l'autorité étaient directement liés à l'éducation. Ceux qui n'étaient pas avantagés par la vie pouvaient toujours s'échapper par la lecture : la sculpture de Daniel Chester French à Washington, D.C., *Dr. Gallaudet and his First Deaf-Mute Pupil* (1888), montre le célèbre médecin des sourds et malentendants avec un élève tenant un livre ouvert[7]. Et tous les élèves n'étaient pas réticents. En août 1878 Martha Carey Thomas décrit dans son journal, désormais conservé dans les archives du Bryn Mawr College en Pennsylvanie dont elle fut présidente pendant près de quarante ans, sa délectation (« le plus pur des bonheurs ») à lire sans interruption pendant quatre jours, chaque heure passant à la vitesse d'une seconde[8]. La notion d'impératif pouvait également accompagner l'éducation : dans l'Allemagne troublée du début du XXe siècle, la notion de développement personnel – grâce aux bibliothèques ou aux librairies – était considérée comme une nécessité vitale pour le bien de la nation[9].

L'importance du livre n'échappa pas aux grands innovateurs du XXe siècle. Il ne s'agissait pas seulement d'un moyen de transcrire le passé mais d'un véhicule au service de la révolution, comme l'avant-garde russe l'a si efficacement démontré dans les années 1920 et 1930. Le roi égyptien mythique Thamus s'inquiéta un jour selon Socrate des effets de l'écriture sur la mémoire humaine[10]. Il n'y avait pourtant pas lieu d'avoir peur puisque grâce au livre l'écriture enregistre la mémoire. La *zeitgeist* numérique nous a en revanche propulsés dans l'ère de la post-vérité, en partie pour une raison bassement matérielle. Ses disciples se sont habitués à l'idée que le savoir et les distractions devaient être gratuits, ce qui fait que les prix ont atteint des niveaux dangereusement bas et que l'exigence d'objectivité s'en est trouvée menacée. Tout au long de son histoire, le livre a incarné le savoir, l'autorité et l'éducation sans pour autant rencontrer ce problème.

Rien d'étonnant donc à ce que le Prospero de Shakespeare décide que sa bibliothèque est « un assez grand duché[11] ».

QUI DE MIEUX PLACÉ que saint Jérôme pour faire le lien entre « le livre » et le savoir faisant autorité ? Sa traduction au IVe siècle de la Bible en latin – la Vulgate – fournit à ceux qui savaient lire une source unique de connaissance de la parole de Dieu pendant les premières centaines d'années de l'histoire du livre. Dans *Saint Jérôme dans son étude* (v. 1475) d'Antonello da Messina, une des très nombreuses peintures de la Renaissance sur ce thème, un élément nouveau a été introduit : le livre apporte ici autant de confort que d'autres possessions du saint comme ses chaussons (au pied de l'escalier), ses plantes, son chat ou sa serviette.

Ci-dessus · **ON CONSIDÈRE QUE** *Le Bibliothécaire* (années 1560) d'Arcimboldo est le portrait de l'humaniste Wolfgang Lazius qui, comme l'artiste lui-même, était attaché à la cour de l'empereur Maximilien II de Habsbourg. Certains ont vu dans cette image une satire du monde des livres mais à la même époque le Suisse Conrad Gessner publiait son *Bibliotheca Universalis* (1545–1549) en 4 volumes. Il y témoignait de la percée du livre en tentant de dresser un catalogue universel de ce qui avait été produit pendant le premier siècle d'existence de l'imprimerie.

Page ci-contre · **APRÈS AVOIR PERDU** le poste qu'il occupait depuis longtemps à la chancellerie de Florence, Machiavel se retira dans sa ferme pour fréquenter « la cour des Antiques » et écrire *Le Prince*. Plus de quatre cent ans plus tard Joseph Staline décida de lire l'ouvrage et de l'annoter. Le livre a continué d'exercer depuis une si grande influence qu'Henry Kissinger a tenu un jour à préciser qu'il lui préférait les écrits de Spinoza et de Kant. Rosso Fiorentino – Il Rosso –, un des premiers maniéristes et l'auteur de ce portrait de Machiavel, a eu les honneurs de Vasari.

UN LIVRE SYMBOLISE ici un moment déterminant dans l'histoire du monde – et, pour des raisons différentes, de celle du cardinal Bandinello Sauli. Nous sommes en 1516. Sebastiano Luciani – que l'on surnommera plus tard « del Piombio » (du plomb) car il était le gardien du sceau du pape – représente le cardinal peu de temps avant qu'il ne soit emprisonné pour ne pas avoir dénoncé un complot en vue d'assassiner le pape Léon X. Tout à droite se trouve un ami de Vasari, l'historien de la Renaissance Paolo Giovio, pris entre deux mondes : le besoin du patronage du pape et une démarche laïque et empirique. Sur la table on distingue un *isolario* – un livre consacré aux îles – car l'époque est aux explorations, découvertes de terres inconnues et de nouvelles routes commerciales. D'un côté, l'autorité d'un livre – la Bible – est transférée à un autre – sur les explorations scientifiques – pour soutenir les activités des missionnaires pendant les cinq siècles suivants ; de l'autre, on nous offre un avant-goût d'un avenir laïc et rationnel fondé sur l'utilisation d'un savoir d'origine scientifique. Dans les deux cas, les livres font assez autorité pour jouer un rôle déterminant.

QUENTIN METSYS, né à Louvain en 1466, est mort dans la grande cité commerciale d'Anvers en 1530. Anvers, nœud des échanges entre le sud et le nord de l'Europe, était habituée aux différentes monnaies utilisées par les banquiers italiens ou les marchands de la péninsule ibérique mais quelle lecture devrions-nous faire du *Prêteur et sa femme* (1514) ? Est-ce que la richesse matérielle détourne la femme de son livre de prières ? Ou celui-ci sert-il à doter d'un sens moral son attitude raisonnable face l'avidité dont menace de faire preuve son mari ? Quelle que soit la réponse, la petite figure au chapeau rouge – peut-être s'agit-il de l'artiste – que l'on voit dans le miroir convexe au premier plan est en train de livre.

UN COLPORTEUR AU XVIIE SIÈCLE. Les marchands ambulants de livres étaient souvent persécutés mais ils se multiplièrent après l'invention de l'imprimerie. Sans loyers ni frais ils pouvaient proposer de meilleurs prix que leurs concurrents – un peu comme Amazon de nos jours – et jouèrent un rôle important en fournissant des livres d'abord aux marchands et propriétaires terriens puis aux classes ouvrières. En octobre 1817, le préfet de l'Aube informa le maire de Troyes de l'animosité exprimée par les marchands envers les colporteurs les jours de marché – Troyes étant la ville d'origine de la Bibliothèque Bleue bon marché, équivalent des *chapbooks* anglais ou des *Volksbuch* allemands. Peu de temps plus tard, le colporteur juif Simon Lévy quitta son Alsace natale pour s'installer à Paris ; ce sont ses deux fils qui fondèrent la célèbre maison d'édition Calmann-Lévy. Les colporteurs furent le moteur discret de la dissémination des livres. On ne s'étonnera pas que la nouvelle de Guy de Maupassant, *Le Colporteur*, publiée dans *Le Figaro* en 1893, l'année de sa mort, commence par la description d'un marchand ambulant de livres apparaissant sur une rive du lac du Bourget en Savoie.

LEYDE ABRITAIT LA PLUS ANCIENNE université des Pays-Bas où la toile de Jan Davidszoon de Heem, *Nature morte avec livres* (1628), a sans doute été bien reçue – ses ouvrages mélancoliques et usés symbolisant le fait que toutes les choses humaines sont périssables. De Heem, dont le beau-père était relieur et libraire, peignit au moins six œuvres similaires à Leyde où la mode était aux peintures relativement monochromatiques et à l'utilisation du manche de la brosse ou d'un outil coupant pour érafler la peinture afin de simuler les pages d'un livre – technique également utilisée par les jeunes Rembrandt et Jan Lievens. On distingue un ouvrage de Jacob Westerbaen (en haut au centre), qui écrivait à l'époque des poèmes d'amour comiques, le livre *Roddrick et Alphonsus* (en bas au centre) du poète et dramaturge G. A. Bredero, ainsi que la signature de l'artiste sur le feuillet qui dépasse de la table. La façon dont le peintre infusa plus tard de la couleur dans ses natures mortes – et ordonna leur désordre – plut à Matisse qui peignit sa propre version d'une de celles conservées au Louvre.

L'ARTISTE ITALIEN PRÉ-BAROQUE Lodovico Carracci constata l'influence exercée par Jusepe de Ribera, un « jeune Espagnol travaillant à la manière du Caravage » arrivé peu de temps auparavant en Italie. Dans son portrait d'Euclide datant probablement de la première moitié des années 1630, Ribera utilise le livre pour créer un lien entre passé, présent et futur. *Éléments*, le traité mathématique d'Euclide, demeura le manuel de référence, du moins en géométrie, pendant bien plus que 2000 ans. Le portrait de cet érudit négligé qui ne s'intéressait qu'à l'intellect reflète non seulement des aspects de la philosophie hellénistique et l'intérêt renouvelé au XVIIe siècle pour le stoïcisme comme morale de base de l'existence, mais il nous offre aussi une image qui parle à tous quelle que soit l'époque.

NOUS NE SAVONS PAS, avec certitude si l'artiste, Caspar Kenckel, était suédois ou allemand, ni s'il a représenté Olof Rudbeck père ou fils (ce serait a priori le père mais il semble jeune pour 57 ans à la date de cette toile, 1687). Fils d'évêque, Olof Rudbeck (1630–1702) découvrit à l'âge de 21 ans la glande lymphatique et la circulation du fluide lymphatique. Professeur de médecine à Uppsala, botaniste, ingénieur, architecte et historien (il professa notamment dans une œuvre en plusieurs volumes que la Suède était en réalité l'Atlantide), il transmit son savoir, sa curiosité et son talent à son fils Olof Rudbeck le Jeune (1660–1740). Le fils reprit la chaire de médecine de son père à l'université, eut Carl von Linné comme élève et fut lui-même explorateur et scientifique de renom. Le livre est ouvert sur un dessin extrait de l'étude de l'anatomie humaine publiée en 1543 par André Vésale (à gauche) et ce qui est probablement (à droite) une plante médicinale tirée de l'*Herbario Nuovo* de Castore Durante (1529–1590).

Ci-dessus · **LES LIVRES ÉTAIENT TRÈS EFFICACE** pour opérer un lien entre le nouveau monde qu'avaient généré les découvertes scientifiques du XVIIe siècle et l'ancien monde – toujours bien vivant – de la sagesse divine. Dans la toile de Vermeer *L'Astronome* (1668) – qui eut pour pendant l'année suivante *Le Géographe* –, *Institutiones Astronomicae Geographicae* d'Adrien Metius est ouvert à la section qui recommande l'utilisation pour la recherche astronomique de la géométrie, des instruments mécaniques et de l'« inspiration de Dieu ». Certains pensent que la figure était inspirée d'un contemporain de Vermeer, Antonie van Leeuwenboek, un pionnier de l'usage du microscope dans l'étude des organismes vivants.

Page ci-conrtre · **LES LIVRES ÉTAIENT DEVENUS** une fenêtre sur le monde, un message renforcé dans cette toile de 1711 par les globes terrestres et l'atlas Blaeu, ainsi que par la soierie chinoise et la céramique japonaise. L'artiste hollandais Jan van der Heyden (1637–1712) peignit trois scènes de ce type à la fin de sa vie ; à sa mort un inventaire nous apprend qu'il possédait 184 volumes dont un grand nombre de livres grand format.

L'ARTISTE ORIGINAIRE DE LEYDE Jan Steen, qui posséda un temps une taverne et une brasserie à Delft, aimait représenter avec humour le chaos de la vie quotidienne à la maison. Son œuvre a donné naissance à une expression hollandaise : *een huishouden van Jan Steen* (un ménage à la Jan Steen). Dans cette toile de 1665–1668, des enfants apprennent à lire à un chat mais, comme l'artiste tenait à ce que les chats aient tous les talents essentiels, il peignit aussi un chat à qui on apprend à danser. L'idée était soit un peu dangereuse, étant donné que les chats avaient souvent la réputation d'être annonciateurs d'un danger imminent, soit éducative car elle montrait, surtout aux enfants, ce qu'il ne fallait surtout pas faire.

LA PARESSE N'AVAIT AUTREFOIS que des connotations religieuses comme par exemple dans la toile du Prado attribuée à Bosch, *Les Sept Péchés capitaux* (v. 1500). Constantin Verhout, actif à Gouda aux Pays-Bas dans les années 1660, n'était pas intéressé par cet angle dans son *Étudiant endormi* (1663). Il était plus commun pour les artistes hollandais du XVIIe siècle de représenter le laisser-aller par le biais de figures féminines endormies mais peu de filles avaient la chance de savoir lire à l'époque. La Hollande protestante pensait en revanche que l'éducation des garçons mènerait le pays à la richesse. La pile de livres exsude ici une modernité non naturaliste et l'étudiant est gentiment critiqué pour son propre bien.

JONATHAN RICHARDSON peignit ce portrait de son fils vers 1734. Ses écrits sur l'art qui ont inspiré Reynolds ont été traduits en français et célébrés en Allemagne par Winckelmann. Il soutenait l'idée que la peinture était une activité intellectuelle et que le portrait devait « révéler l'âme autant que l'apparence visuelle » du sujet. C'est lui qui fut à l'origine du terme anglais de *connoisseur* et défendit une « science pour gentlemen ». Tel père, tel fils : le jeune Richardson entreprit son Grand Tour en Italie en 1721, rassemblant des données sur les « statues, bas-reliefs, dessins et images » qui donnèrent lieu plus tard à un livre co-écrit avec son père et qui fut apprécié des collectionneurs et touristes fortunés.

LES ANIMAUX ONT LONGTEMPS EU mauvaise presse dans la culture occidentale. Les singes étaient considérés comme des démons dans le monde chrétien et les choses n'ont pas beaucoup évolué pendant la lente percée des idées laïques : qu'ils soient les symboles de démence ou de luxure ou décrits comme des déformations repoussantes d'humains, ils n'étaient pas représentés avec beaucoup de sensibilité. Dans *Le Cauchemar* (1781) de Füssli, une forme simiesque prend par exemple possession d'une femme. Ici, dans *Le Singe antiquaire* (v. 1725–1745), Chardin fait preuve, comme toujours, d'une certaine subtilité. Des artistes du XVIIIe siècle comme Watteau avaient succombé avant lui à la mode des singeries, ces œuvres dans lesquelles des primates singeaient les activités humaines. Ami de Chardin, le poète Charles-Étienne Pesselier explicita la valeur satirique de la toile : le collectionneur devrait se détourner de ses médailles et de ses livres s'il veut se tenir au courant des nouveautés de son époque. Dans *Le Singe peintre* (v. 1739–1740), un singe artiste tente de peindre une statue et dessine sa propre image ; il fait de la copie à l'ancienne plutôt que de refléter la Nature.

Ci-dessus · **AVEC SON CHAPEAU ORNÉ** d'une plume, sa robe – une lévite – popularisée par Marie-Antoinette dans les années 1780 et son livre de poésie, la sœur d'Elijah Boardman (voir page ci-contre), Esther, est très à la mode dans ce portrait de 1789. Aucune université n'acceptait les femmes à cette époque. Un peu plus d'un siècle plus tard, les quatre cinquièmes leur ouvraient leurs portes.

Page ci-contre · **LE PEINTRE RALPH EARLS,** originaire du comté de Worcester dans le Massachusetts, a eu une carrière en dents de scie : à Londres dans l'atelier de Benjamin West peu de temps après l'Indépendence, puis arraché à la prison pour dettes à New York pour peindre ce portrait dans un Connecticut plus sûr et enfin rongé par l'alcoolisme à la fin de sa vie. Elijah Boardman, qui avait combattu pendant la guerre d'Indépendance quand il n'avait que seize ans et devint plus tard sénateur, est représenté ici dans son activité de marchand. Il pose dans son magasin de New Milford entouré de coupons de tissu (avec un timbre fiscal anglais en évidence) et de livres, dont des pièces de Shakespeare, le *Paradis perdu* de Milton et le *London Magazine* pour l'année 1786.

IL EXISTE AU MOINS TROIS versions de *La Jeune Maîtresse d'école* de Chardin : celle-ci est conservée à Washington, D.C. et les deux autres à Dublin et Londres. Une variante a également été gravée pour le « gros public » par François-Bernard Lépicié en 1740. Toutes parviennent au même résultat avec un talent exquis qui a donné envie à Lucian Freud de créer ses propres peinture et gravure plus de deux siècles et demi plus tard. L'enfant – dont le père est sans doute un ami de Chardin, le marchand de meubles et ébéniste monsieur Lenoir – est représenté avec moins de netteté que celle qui doit être un véritable modèle et doit probablement être sa sœur.

GEORGE III EST REPRÉSENTÉ ICI (à droite) jeune garçon vers 1748–1749 avec son frère, le prince Edward Augustus – futur duc d'York et Albany – et leur tuteur, le redoutable Dr Francis Ayscough, dans une toile qui existe en plusieurs versions par un des fondateurs de la Royal Academy, Richard Wilson. George était un grand amoureux des livres ; il renouvela la collection royale et légua 65 000 volumes au British Museum en vue de créer une collection nationale. Les livres et l'éducation étaient essentiels pour l'héritier de la Couronne : il fut le premier monarque britannique à étudier la science ; il suivit entre autres des cours de mathématiques, d'agriculture et de droit constitutionnel. Il savait par ailleurs lire et écrire l'allemand et l'anglais avant l'âge de huit ans.

QUAND LE PRINCE CHARLES LOUIS DU PALATINAT arriva à la cour d'Angleterre de son oncle Charles Ier – le frère de sa mère – le 21 novembre 1635, il fut reçu avec grâce. Le jeune exilé de 18 ans apprécia l'hommage du dramaturge Thomas Heywood – « Que votre flamme s'élève » – qui dressa également un parallèle avec Charlemagne. Sa bonne humeur fut de courte durée : le prince, résolu à récupérer les terres perdues par son père, un intellectuel mystique en conflit avec l'empereur Ferdinand II de Habsbourg, dut faire face à un Charles Ier particulièrement insensible. Dans ce portrait exécuté quelques années plus tôt, en 1631, il est représenté auprès de son tuteur, Wolrad von Plessen. Les deux figures sont transportées dans un passé lointain par le biais de leurs vêtements et leur pose reflète un thème cher à l'artiste – Jan Lievens, un proche de Rembrandt. On pense qu'il les a représentés sous les traits d'Aristote et du jeune Alexandre le Grand. Le garçon rêve ; le professeur établit un contact visuel avec le public ; le livre – anachronique si nous sommes vraiment au IVe siècle av. J.-C. – donne tout son sérieux à la scène.

DERRIÈRE CETTE SIMPLE ŒUVRE de Turner à la gouache et à l'aquarelle représentant la bibliothèque de la Petworth House dans le Sussex (1827) se cache une longue histoire d'amitié – entrecoupée de brouilles – entre le grand artiste et le mécène, collectionneur et propriétaire des lieux George Wyndham, 3e lord Egremont. Ce truculent aristocrate libertin – « à son époque Petworth était une très bonne auberge », observa le célèbre diariste Charles Greville – n'était pas autorisé à entrer dans l'atelier mis à la disposition de Turner sans s'identifier auparavant. En 1837 Turner emprunta des habits de deuil pour assister à son enterrement.

C'ÉTAIT FAIRE PREUVE DE COURAGE que de s'attaquer à un portrait du véritable caméléon qu'était Charles Baudelaire – doublé d'un cabotin selon Jules Vallès. Dans la toile de Courbet de 1847, le livre et la plume sont traités avec plus de réalisme que le sujet lui-même, ce qui ne devait pas être pour déplaire à celui qui écrira dans sa critique du Salon de 1859 que la photographie était « le refuge de tous les peintres manqués, trop mal doués ou trop paresseux pour achever leurs études ». Il ajoutait plus loin que le portrait n'était pas du tout un art « modeste » et avait besoin non seulement de l'intelligence et des talents d'un historien mais aussi de « divination [12]». Courbet confessa qu'il ne savait pas comment finir le portrait : « son visage change tous les jours. » Les deux hommes finirent par s'éloigner l'un de l'autre.

DES ÉTUDES ONT MONTRÉ qu'à la Renaissance Florence privilégiait en matière d'éducation le commerce et les mathématiques tandis que d'autres villes toscanes mettaient en valeur la grammaire et le latin. Au moment où, plusieurs siècles plus tard, l'artiste toscan Silvestro Lega peignit *La Leçon de lecture* (1881), les classes moyennes occidentales considéraient que la lecture était un atout indispensable pour construire le monde de demain.

AU MOMENT OÙ Auguste Toulmouche peignit *La Leçon de lecture* (1865), l'éducation, qui commençait par l'apprentissage déterminant de la lecture, était un précepte du Second Empire profondément ancré dans l'esprit de la bourgeoisie. Ni la mère ni sa fille n'étaient manifestement ce que Zola appelait les « délicieuses poupées de Toulmouche » mais cette description pourrait s'appliquer à d'autres toiles de l'artiste.

Ci-dessus · **FRANÇOIS BONVIN** – qui travailla à la préfecture de police de Paris jusqu'en 1850 et était en grande partie autodidacte – bénéficiait de deux grands avantages : d'une part le soutien du collectionneur Louis La Caze, qui l'accueillit avec Degas, Manet et d'autres artistes dans sa demeure de la rue du Cherche-Midi, et d'autre part sa connaissance méticuleuse des artistes du passé, en particulier des vanités hollandaises et flamandes du XVIIe siècle, de Chardin et des scènes de genre de Pieter de Hooch. Cette nature morte date de 1876.

Page ci-contre · **L'ARTISTE BAROQUE** italien Le Guerchin était originaire de Cento, entre Bologne et Ferrare, où il peignit ce portrait de l'avocat et conseiller municipal Francesco Righetti (v. 1626–1628). Righetti, lui-même auteur, tient dans la main le manuel très influent de droit pénal de Julius Clarus ; sur les étagères on distingue plusieurs volumes faisant partie d'ouvrages importants de la jurisprudence occidentale. Pendant de nombreux siècles le titre d'un livre était inscrit sur la tranche de queue ou la gouttière – ou sur son dos comme c'est toujours le cas maintenant. La question de la mise en pages exceptée, les livres de droit firent beaucoup pour renforcer l'autorité des livres.

DECIS. ROT. NOVISS.
DECIS. PVTEI.
Discept. Gratian.
Codex Iustin.

Ci-dessus · **LES ARTISTES ONT AUSSI PEINT** d'autres artistes munis de livres. Le peintre suisse Charles Gleyre compta parmi ses élèves irrévérencieux Renoir et, brièvement, Monet dans les années 1860. C'est dans ses cours que les deux artistes, ainsi que Sisley et Bazille se sont rencontrés. Renoir et Monet connurent tous deux un début de carrière difficile. Renoir peignit ce portrait de Monet en 1872 ; dans un autre – moins intense – datant de la même année, Monet a aussi une pipe mais il lit un journal.

Page ci-contre · **LA RENCONTRE ENTRE** Édouard Manet et Émile Zola en février 1866 grâce au peintre paysagiste Antoine Guillemet arriva à point nommé pour les deux hommes. Dans un article repris plus tard sous forme de brochure (dont la couverture bleue apparaît à droite sur la toile), Zola défendit Manet contre ses nombreux détracteurs ; la parution de *Thérèse Raquin* en 1867 fit de Zola une célébrité et Manet peignit son portrait l'année suivante. L'écrivain tient – selon toute probabilité – le premier volume (sur 14) d'un des ouvrages préférés de l'artiste, *L'Histoire des peintres* de Charles Blanc. En mai 1868 Zola décrivit les longues séances de pose où Manet, les yeux brillants et les traits tendus, était si intensément concentré qu'il ne semblait pas être dans la pièce. Odilon Redon jugeait que le résultat tenait plus de la nature morte que du portrait.

LE LIVRE ACQUIT de nouvelles significations symboliques au XXe siècle. *Le Cerveau de l'enfant* (1914) de Giorgio de Chirico hypnotisa tant André Breton quand il l'aperçut dans la vitrine d'une galerie parisienne depuis un bus qu'il ressentit immédiatement le besoin de l'acheter. Le tableau refléterait les théories de Freud sur les complexes de castration et d'Œdipe. L'artiste a-t-il ici représenté son père, avec sa moustache toute masculine et ses longs cils féminins, en train de s'adonner secrètement à la masturbation ? Le marque-page en tissu rouge symbolise-il un pénis et le livre les rapports sexuels de ses parents ?

DANS CETTE NATURE MORTE de 1885 Van Gogh oppose deux approches radicalement différentes de la vie : d'une part la foi aveugle de son père – ce pasteur d'une grande rigueur qui venait juste de mourir –, symbolisée par cette édition de la Bible datant de 1882 ouverte au chapitre 53 du Livre d'Isaïe consacré à la souffrance et au rejet du Christ ; d'autre part le monde décrit par Zola dans son roman récemment paru *La Joie de vivre*, un monde dans lequel, selon Van Gogh, les écrivains « peignent la vie comme nous la ressentons nous-mêmes[13] ». Notons qu'il n'y avait pas plus de joie chez Zola que chez Isaïe : le roman est traversé par le malheur, la malveillance, la trahison et le suicide malgré les courageuses tentatives du personnage principal, Pauline Quenu, de garder espoir.

Ci-dessus · **LA LECTURE ÉTAIT UNE ACTIVITÉ** à la fois privée et sociale ; elle alliait aussi plaisir et stimulation intellectuelle. Dans *Une Lecture* (1903) de Théo van Rysselberghe, un vieil ami de l'artiste, le poète symboliste d'origine belge Émile Verhaeren, lit devant une auguste assemblée qui inclut (tout à droite) l'essayiste, dramaturge et poète Maurice Maeterlinck, qui recevra le prix Nobel de littérature neuf ans plus tard.

Page ci-contre · **CE PORTRAIT QUE GAUGUIN** a peint en 1889 de son ami artiste et apparemment admirateur Jacob Meyer de Haan, destiné à décorer un panneau d'une porte d'une auberge du Pouldu sur la côte bretonne – son « premier Tahiti en France » – est en général interprété comme un hommage au savoir ésotérique de Meyer de Haan[14]. Mais il se peut que son regard ait plutôt à voir avec le fait que ce bossu avait gagné l'affection de Marie Henry, leur logeuse, au détriment de Gauguin. Peut-être les thèmes des deux ouvrages sur la table, le *Paradis perdu* de Milton et le *Sartor Resartus* profondément antisémite de Carlyle, n'étaient-ils pas en réalité les témoignages de son savoir.

Sartor
Resartus
Carlyle
Milton
P Go – 89

L'ATMOSPHÈRE ÉTAIT PARFOIS HOULEUSE au Café Guerbois. Le critique d'art et romancier Edmond Duranty, que Degas représente ici en 1879 si heureux dans son bureau au milieu de ses livres, y fut provoqué en duel par Manet après la parution d'une de ses critiques. Zola servit de témoin au peintre, Duranty fut blessé mais leur amitié perdura. L'essai de Duranty, *La Nouvelle Peinture*, publié au moment de la seconde exposition impressionniste de 1876, était la première véritable tentative de donner une cohérence intellectuelle à ce nouveau style de peinture de la « vie moderne ». Degas y était décrit comme un homme d'un talent et d'une intelligence rares et il est vrai que les idées exprimées dans le livre ressemblent à s'y méprendre à celles de Degas lui-même. Quand il approcha de la mort, Duranty fit face au dilemme poignant des bibliophiles : que faire de ses livres ? Il vendit la plupart d'entre eux et mourut l'année suivante.

LE BLOOMSBURY GROUP fit beaucoup pour renforcer l'idée pluricentenaire que l'art, les livres et les écrivains étaient fondamentaux dans la vie. Duncan Grant a peint ici son cousin James Strachey, jeune frère de Lytton, en 1910, fraichement diplômé de Cambridge et écrivant pour le *Spectator*. Plus tard, la traduction par Strachey et sa femme Alix des œuvres de Freud en 24 volumes fut si encensée qu'il a été à un moment sérieusement question de la retraduire en allemand. Grant a représenté beaucoup de gens lisant, dont la sœur de James et Lytton – Marjorie – envahie par l'émotion après avoir achevé *Crime et Châtiment* de Dostoïevski.

L'INDUSTRIEL VIENNOIS Hugo Koller est représenté en intellectuel délicat entouré de livres dans ce portrait exécuté par Egon Schiele en 1918, année de la mort de l'artiste. Schiele aimait certains des livres rares de la grande bibliothèque de Koller dans sa maison de campagne d'Oberwaltersdorf, au sud-est de Vienne. L'épouse roumaine de l'industriel, Broncia Koller-Pinell, était elle-même artiste et fit à la même époque le portrait de Schiele et de sa femme. Elle verra sa réputation ternie à l'arrivée des nazis au pouvoir.

GUSTAVE GEFFROY ÉTAIT romancier et historien de l'art. Il écrivit la première biographie de Monet (qui, peu communicatif, ne répondait que par monosyllabes à ses questions). C'est Monet qui présenta Cézanne à Geoffroy. Leur relation qui déboucha sur ce portrait ne fut pas des plus heureuses. Après trois mois de séances de pose régulières, Cézanne écrivit à Monet que le résultat était « maigre ». Les mains et le visage restèrent inachevés et les deux hommes ne se revirent plus jamais. Les cubistes exprimèrent leur désaccord avec le verdict défaitiste de Monet et nous leur donnons raison avec le recul.

Ci-dessus · **DOROTHY (DORELIA) MCNEILL** et Gwen John entreprirent en 1903 une randonnée à pied en France et s'arrêtèrent pour l'hiver à Toulouse. Le critique Laurence Binyon, qui deviendra célèbre pour son poème sur la Première Guerre mondiale *For the Fallen* (1914), décrivit à la perfection dans le *Saturday Review* le portrait que John fit de Dorelia, *The Student* (1903–1904). Il était « intense » mais de manière « calme et discrète », ce qui était rare dans l'art de l'époque mais beaucoup plus efficace qu'une œuvre à l'éclat tapageur. Les guides de voyage – dont l'un sur la Russie – ont une fonction spécifique : attirer notre regard vers le visage de Dorelia.

Page ci-contre · **NERVEUX, D'UN ÉROTISME CRU,** hautement agité, déchainé, névrosé, sur le fil – voici quelques-uns des termes employés par les critiques pour décrire Egon Schiele. Cette toile de 1914 représentant son bureau a été peinte après un séjour funeste en prison pour des dessins jugés indécents. Parfois, quand Schiele montre certains de ses livres, ou dans ses paysages de champs vallonnés de Krumau, son talent extraordinaire se déploie de façon plus sereine. Mais ici la disposition phallique des objets et l'impression de fétichisme qui en ressort révèlent ses véritables inclinaisons.

Ci-dessus · **SOFONISBA ANGUISSOLA**, issue d'une famille noble de Crémone en Italie du Nord, réussit à impressionner à la fois Michel-Ange qu'elle rencontra à Rome 1550 et Vasari qui déclara qu'elle faisait preuve « d'une plus grande connaissance et d'une meilleure grâce qu'aucune autre femme de son époque ». Fortement soutenue et encouragée par son père, elle ne se retrouva néanmoins pratiquement jamais dans la « position d'égalité parfaite avec les hommes » que le grand historien de la culture du XIXe siècle Jacob Burckhardt identifiait comme un des aspects de la Renaissance. Dans cet autoportrait elle parvient à exprimer ce que Castiglione appelait la *discreta modesta* tout en affirmant sa réussite grâce au livre de sonnets d'amour ou de dévotion qu'elle tient ouvert sur l'inscription « La Vierge Sofonisba Anguissola fit ceci elle-même en 1554 ».

Page ci-contre · **LES CHOSES ONT-ELLES ÉVOLUÉ** pour les artistes femmes pendant les presque 400 ans qui séparent l'autoportrait de Sofonisba Anguissola de celui de Nora Heysen peint en 1933 ? Malheureusement pas autant qu'on pourrait le penser. Heysen, fille du grand artiste autrichien Hans Heysen, remporta certes le Archibald Prize sous les auspices de la future Art Gallery of New South Wales, mais un titre du *Australian Women's Weekly* de février 1939 résume bien les mentalités de l'époque : « Girl Painter Who Won Art Prize is also Good Cook » (La femme peintre qui a reçu un prix artistique est aussi une bonne cuisinière). L'artiste tonaliste et enseignant australien Max Meldrum pensait qu'attendre des femmes qu'elles fassent les choses aussi bien que les hommes tenait de la « pure démence » et qu'elles devaient donner la priorité à leur famille et non à leur carrière. Le regard d'Heysen dans son autoportrait en dit long sur ce qu'elle en pense.

ÉDOUARD VUILLARD ET JEANNE LANVIN avaient vécu dans le même immeuble de la rue Saint Honoré au début des années 1890 et avaient aussi le même âge. Vuillard disait qu'il ne peignait pas des portraits mais des « gens chez eux » et cette évocation de la grande figure de la haute couture parisienne (v. 1933) dans la ruche créative qu'était le siège de sa société, avec ses cahiers d'échantillons et ses livres, reflète cette affirmation. Julian Barnes a brillamment décrit ce tableau comme étant le « triomphe du détail pertinent ».

LA SAVOUREUSEMENT DISCRÈTE Florine Stettheimer qui préférait selon le curateur et critique Henry McBride dans la monographie éditée par le MoMA qu'il lui a consacrée en 1946 ne pas exposer et garder ses tableaux, peignit néanmoins beaucoup de portraits de ses amis dont Duchamp, Stieglitz et ici le photographe, écrivain et collectionneur Carl Van Vechten (1922). Le chat de Van Vechten se voit attribuer les honneurs d'une place au-dessus d'une pile de livres. Le livre au milieu est le propre livre du modèle, *The Tiger in the House: A Cultural History of the Cat* et les livres et le piano à sa droite sont un décor approprié pour le cercle d'artistes bohème de Greenwich Village, d'extravagants de la haute société, d'écrivains d'Harlem et autres esprits créatifs avec qui il frayait. Le flamboyant Van Vechten entretenait avec Gertrude Stein et Alice B. Toklas une riche correspondance dans laquelle ils étaient tous les trois membres d'une famille fictionnelle, les Woojums. Sa femme, Fania Mainhoff, est représentée dans la toile par ce que certains ont assimilé à un sanctuaire : sa coiffeuse. Cette actrice avait fait partie de la troupe qui avait monté pour la première fois en anglais *L'Éveil du printemps* de Frank Wedekind et dont la justice n'avait autorisé qu'une seule représentation.

« ENLÈVE CE FAUNTLEROY DE MON CŒUR », a dit le poète Kenneth Fearing à Alice Neel après qu'elle eut fini de peindre son portrait en 1935 : ce squelette était le symbole du cœur souffrant d'un homme désespéré par le sort des pauvres et des opprimés pendant la Grande dépression (représentés au premier plan). Neel, elle-même suicidaire et mariée à un homme abusif, vivait dans Greenwich Village à New York. Elle s'était liée d'amitié avec un groupe d'écrivains bohème et radicaux dont Fearing faisait partie (on peut distinguer à l'arrière-plan le métro aérien de la Sixième avenue proche de son domicile). Seul le livre au centre de la toile offre – comme il le fait depuis deux mille ans – un moment de réconfort.

SEUL LE LIVRE sur la cheminée – *Les Aventures d'Arthur Gordon Pym de Nantucket* d'Edgar Allen Poe – se reflète normalement dans *La Reproduction interdite* (1937) de Magritte. Pourtant la fable fantastique écrite par Poe en 1838 racontant un voyage en mer de Nantucket à Symzonia est elle-même surréaliste. Nous voyons ce que nous voyons ; nous lisons ce que nous lisons : l'art et les livres à nouveau rassemblés.

NOTES

PRÉFACE

1 F. R. Grahame (pseudonyme de Catherine Laura Johnstone), *The Progress of Science, Art, and Literature in Russia* (1865), p. 8.
2 Bertolt Brecht,« Against Georg Lukács », *New Left Review*, 84 (1974), p. 51. Cité in Janet Wolff, *The Social Production of Art* (2de éd., 1993), p. 91.
3 Cité in Alexander Ireland, *The Book-Lover's Enchiridion* (5e éd., 1888), « Prelude of Mottoes ».
4 *Ibid.*, p. 289.
5 *Ibid.*, p. 312.
6 Richard D. Altick, *Paintings from Books: Art and Literature in Britain, 1760–1900* (1985), p. 399.
7 Cité in Ireland, *op. cit.*, p. 200.
8 Kate Flint, *The Woman Reader, 1837–1914* (1993), p. 139.
9 Cité in Lynda Nead, *Myths of Sexuality: Representations of Women in Victorian Britain* (éd. brochée, 1990), p. 79.
10 John Ruskin, *Modern Painters* (6e éd., 1857), vol. 1, p. xxii.
11 A. Hyatt Mayor, *Prints and People: A Social History of Printed Pictures* (1971), n.p.
12 Ian Gadd (éd.), *The History of the Book in the West: 1455–1700* (2010), essai de David Cressy, p. 508.

CHAPITRE 1

1 Pour Gutenberg, voir Albert Kapr, *Johann Gutenberg: The Man and His Invention*, trad. Douglas Martin (1996) ; John Man, *The Gutenberg Revolution: The Story of a Genius and an Invention that Changed the World* (2002) ; Leslie Howsam (éd.), *The Cambridge Companion to the History of the Book* (2015).
2 Keith Houston, *The Book: A Cover-to-Cover Exploration of the Most Powerful Object of Our Time* (2016), p. 96.
3 *Ibid.*, p. 255.
4 Guglielmo Cavallo et Roger Chartier (éds), *A History of Reading in the West*, trad. Lydia G. Cochrane (éd. brochée, 2003), p. 15 ; éd. fr. originale : *Histoire de la lecture dans le monde occidental* (2001).
5 Houston, *op. cit.*, p. 56.
6 Christina Duffy, « Books Depicted in Art », British Library, Collection Care blog, 1er juillet 2014.
7 Svend Dahl, *History of the Book* (2e éd. anglaise, 1968), p. 41 ; trad. fr. : *Histoire du livre : De l'Antiquité à nos jours* (1967).
8 Joseph Rosenblum, *A Bibliographic History of the Book* (1995), p. 1.
9 Alberto Manguel, *A History of Reading* (1996), p. 294 ; trad. fr. : *Une histoire de la lecture* (2000).
10 Simon Eliot et Jonathan Rose (éds), *A Companion to the History of the Book* (2007), essai de Rowan Watson, p. 486.
11 Manguel, *op. cit.*, p. 150.
12 *Ibid.*, p. 98.
13 Anthony Charles Ormond McGrath, « Books in Art: The Meaning and Significance of Images of Books in Italian Religious Painting 1250–1400 » (thèse de doctorat non publiée, University of Sussex, 2012), pp. 11, 12, 68.
14 Norma Levarie, *The Art and History of Books* (nvelle éd., 1995), p. 23 ; Lucien Febvre et Henri-Jean Martin, *The Coming of the Book: The Impact of Printing 1450–1800*, éd. Geoffrey Nowell-Smith and David Wootton, trad. David Gerard (1976), pp. 26, 27 ; éd. fr. originale : *L'Apparition du livre* (1971).
15 Manguel, *op. cit.*, p. 77.
16 Linda L. Brownrigg (éd.), *Medieval Book Production: Assessing the Evidence* (1990), essai de R. H. et M. A. Rouse, pp. 103–106.
17 Jan Białostocki, *The Message of Images: Studies in the History of Art* (1988), p. 156.
18 Paul Oskar Kristeller, *Renaissance Thought and the Arts: Collected Essays* (éd. aug., 1990), p. 181.
19 Emma Barker, Nick Webb et Kim Woods (éds), *The Changing Status of the Artist* (1999), intro., p. 28.
20 Mary Rogers et Paola Tinagli, *Women and the Visual Arts in Italy c. 1400–1650: Luxury and Leisure, Duty and Devotion – A Sourcebook* (2012), p. 66.
21 Houston, *op. cit.*, p. 170.
22 Levarie, *op. cit.*, p. 67 ; Febvre et Martin, *op. cit.*, p. 22.
23 Levarie, *op. cit.*, p. 67.
24 Houston, *op. cit.*, p. 121.
25 Cité in Elizabeth L. Eisenstein, *The Printing Press as an Agent of Change: Communications and Cultural Transformations in Early-Modern Europe* (éd. brochée, 1980), p. 250.
26 Houston, *op. cit.*, pp. 203–204.

CHAPITRE 2

1 Eliot et Rose, *op. cit.*, essai de Rowan Watson, p. 487 ; Cavallo et Chartier, *op. cit.*, essai d'Anthony Grafton, p. 185.
2 David Finkelstein et Alistair McCleery (éds), *The Book History Reader* (2002), essai de Roger Chartier, p. 126.
3 Rogers et Tinagli, *op. cit.*, p. 213.
4 Rudolf et Margot Wittkower, *Born under Saturn: The Character and Conduct of Artists – A Documented History from Antiquity to the French Revolution* (1963), p. 54 ; trad. fr. : *Les Enfants de Saturne. Psychologie et comportement des artistes de l'Antiquité à la Révolution française* (1985).
5 Peter Burke, *The Italian Renaissance: Culture and Society in Italy* (éd. rév., 1987), p. 60 ; trad. fr. : *La Renaissance en Italie : Art, culture, société* (éd. brochée, 1997).
6 Antonella Braida et Giuliana Pieri (éds), *Image and Word: Reflections of Art and Literature from the Middle Ages to the Present* (2003), p. 3.
7 *Ibid.*, p. 5.
8 Burke, *op. cit.*, p. 155.
9 René Wellek, « The Parallelism Between Literature and the Arts », *English Institute Annual 1941* (1942), p. 31.
10 Houston, *op. cit.*, p. 185.
11 Sandra Hindman (éd.), *Printing the Written Word: The Social History of Books, circa 1450–1520* (1991), essai de Martha Tedeschi, p. 41.
12 *Ibid.*, essai de Sheila Edmunds, pp. 25, 33.
13 Finkelstein et McCleery, *op. cit.*, essai de Jan-Dirk Müller, p. 154.
14 John L. Flood et William A. Kelly (éds), *The German Book, 1450–1750: Studies presented to David L. Paisey in His Retirement* (1995), essai de Irmgard Bezzel, pp. 31–32.
15 Hugh Amory et David D. Hall (éds), *A History of the Book in America*, vol. 1, *The Colonial Book in the Atlantic World* (2000), p. 26.
16 Dahl, *op. cit.*, p. 137.
17 Finkelstein et McCleery, *op. cit.*, essai de Jan-Dirk Müller, p. 163.
18 Gadd, *op. cit.*, essai d'Andrew Pettegee et Matthew Hall, pp. 143, 162.
19 Patricia Lee Rubin, *Giorgio Vasari: Art and History* (1995), p. 106.
20 Rodney Palmer et Thomas Frangenberg (éds), *The Rise of the Image: Essays on the History of the Illustrated Art Book* (2003), essai de Sharon Gregory, p. 52.
21 Rubin, *op. cit.*, p. 50.
22 Philip Jacks (éd.), *Vasari's Florence: Artists and Literati at the Medicean Court* (1998), p. 1.
23 Rubin, *op. cit.*, pp. 290–291.
24 *Ibid.*, p. 148.
25 Jacks, *op. cit.*, p. 1.

26 Rudolph et Margaret Wittkower, *op. cit.*, p. 12.
27 Levarie, *op. cit.*, p. 288.
28 Eliot et Rose, *op. cit.*, essai de Megan L. Benton, p. 495.
29 Manguel, *op. cit.*, pp. 296–297.
30 Eisenstein, *op. cit.*, p. 248.
31 *Ibid.*, pp. 247–248; Białostocki, *op. cit.*, p. 153 ; Febvre et Martin, *op. cit.*, p. 95.
32 Eisenstein, *op. cit.*, p. 233.
33 *Ibid.*, p. 254, citant Anthony Blunt, *Artistic Theory in Italy, 1450–1600* (1962), p. 56.
34 David J. Cast (éd.), *The Ashgate Research Companion to Giorgio Vasari* (2014), p. 263.
35 Joanna Woods-Marsden, *Renaissance Self-Portraiture: The Visual Construction of Identity and the Social Status of the Artist* (1998), p. 22.
36 Barker, Webb et Woods, *op. cit.*, intro., p. 20, essai de Kim Woods, pp. 104, 110; Białostocki, *op. cit.*, p. 159.
37 John C. Van Dyke, *A Text-Book of the History of Painting* (nvelle éd., 1915), préface de la 1re éd. [1894].
38 Palmer et Frangenberg, *op. cit.*, essais d'Anthony Hamber, p. 224, et Valerie Holman, p. 245.
39 Białostocki, *op. cit.*, p. 153.
40 Kristeller, *op. cit.*, p. 190.

CHAPITRE 3
1 Roger Chartier (éd.), *A History of Private Life*, vol. 3, *Passions of the Renaissance*, trad. Arthur Goldhammer (1989), p. 128 ; éd. fr. originale : *Histoire de la vie privée. Tome III. De la Renaissance aux Lumières* (1999).
2 John Bury, « El Greco's Books », *Burlington Magazine*, vol. 129, n° 1011 (juin 1987), pp. 388–391.
3 Białostocki, *op. cit.*, p. 154.
4 Altick *op. cit.*, p. 18.
5 Finkelstein et McCleery, *op. cit.*, essai de Roger Chartier, p. 122.
6 *Ibid.*, essai d'E. Jennifer Monaghan, p. 299.
7 Gadd, *op. cit.*, essai de David Cressy, p. 501.
8 David H. Solkin, *Painting out of the Ordinary: Modernity and the Art of Everyday Life in Nineteenth-Century Britain* (2008), p. 117.
9 Cité in Ireland, *op. cit.*, p. 101.
10 Albert Ward, *Book Production, Fiction and the German Reading Public, 1740–1800* (1974), p. 29.
11 Denis V. Reidy (éd.), *The Italian Book 1465–1800: Studies Presented to Dennis E. Rhodes on His 70th Birthday* (1993), essai de Diego Zancani, p. 177.
12 Cité in Flint, *op. cit.*, p. 22.
13 Charles Sterling, *Still Life Painting: From Antiquity to the Twentieth Century*, trad. James Emmons (2e éd. rév., 1981), pp. 12, 63 ; trad. fr. : *La Nature morte de l'Antiquité à nos jours* (1952).

CHAPITRE 4
1 Cité in Cavallo et Chartier, *op. cit.*, essai de Reinhard Wittram, p. 298.
2 Chartier, *Private Life*, p. 143.
3 Ward, *op. cit.*, p. 61.
4 Cavallo et Chartier, *op. cit.*, essai de Reinhard Wittram, p. 293.
5 Ward, *op. cit.*, p. 6.
6 Finkelstein et McCleery, *op. cit.*, essai de John Brewer, p. 241.
7 Ann Bermingham et John Brewer, *The Consumption of Culture 1600–1800: Image, Object, Text* (1995), essai de Peter H. Pawlowicz, p. 45.
8 Altick, *op. cit.*, p. 1.
9 *Ibid.*, p. 54.
10 Kristeller, *op. cit.*, pp. 199–203.
11 Kate Retford, *The Art of Domestic Life: Family Portraiture in Eighteenth-Century England* (2006), pp. 38–40.
12 Solkin, *op. cit.*, p. 212.
13 Cité in Bermingham et Brewer, *op. cit.*, essai de Peter H. Pawlowicz, p. 47.
14 Chartier, *Private Life*, p. 146.
15 Bermingham et Brewer, *op. cit.*, essai de Peter H. Pawlowicz, p. 49.
16 Finkelstein et McCleery, *op. cit.*, p. 134.
17 Matt Erlin, *Necessary Luxuries: Books, Literature, and the Culture of Consumption in Germany, 1770–1815* (2014), p. 79.
18 Ward, *op. cit.*, pp. 30, 47.
19 Amory et Hall, *op. cit.*, pp. 520–521.
20 Robert A. Gross et Mary Kelley (éds), *A History of the Book in America*, vol. 2, *An Extensive Republic: Print, Culture, and Society in the New Nation, 1790–1840* (2010), pp. 11, 14.
21 Ward, *op. cit.*, p. 107.
22 Cité in Erlin, *op. cit.*, p. 65.
23 *Ibid.*, p. 72.
24 Pamela E. Selwyn, *Everyday Life in the German Book Trade: Friedrich Nicolai as Bookseller and Publisher in the Age of Enlightenment, 1750–1810* (2000), *passim.* Pour Heinzmann, voir Chad Wellmon, *Organizing Enlightenment: Information Overload and the Invention of the Modern Research University* (2015), et James Van Horn Melton, *The Rise of the Public in Enlightenment Europe* (2001), en part. pp. 110–111.
25 Cité in Cavallo et Chartier, *op. cit.*, essai de Reinhard Wittram, p. 285.
26 Roger Chartier, *The Order of Books: Readers, Authors and Libraries in Europe between the Fourteenth and Eighteenth Centuries*, trad. Lydia G. Cochrane (1994), pp. 62–63 ; éd. fr. originale : *Culture écrite et Société – L'ordre des livres, XIVe-XVIIIe siècle* (éd. brochée, 1996).
27 Ward, *op. cit.*, p. 59.
28 Erlin, *op. cit.*, p. 85.

CHAPITRE 5
1 Altick, *op. cit.*, pp. 96–97.
2 Cité in Dianne Sachko Macleod, *Art and the Victorian Middle Class: Money and the Making of Cultural Identity* (1996), p. 275.
3 *Ibid.*, pp. 41, 43.
4 Lynne Tatlock (éd.), *Publishing Culture and the 'Reading Nation': German Book History in the Long Nineteenth Century* (2010), p. 4.
5 Gross et Kelley, *op. cit.*, p. 6.
6 *Ibid.*, essai de Barry O'Connell, p. 510.
7 James Smith Allen, *In the Public Eye: A History of Reading in Modern France, 1880–1940* (1991), p. 165.
8 Nicole Howard, *The Book: The Life Story of a Technology* (1ère éd. brochée, 2009), p. 134.
9 Eliot et Rose, *op. cit.*, essai de Rowan Watson, p. 489.
10 Grahame, *op. cit.*, p. 8.
11 Cavallo et Chartier, *op. cit.*, essai de Martin Lyons, p. 313.
12 Macleod, *op. cit.*, p. 350.
13 Mark Bills (éd.), *Dickens and the Artists* (2012), p. 162.
14 Manguel, *op. cit.*, p. 110.
15 Scott E. Casper, Jeffrey D. Groves, Stephen W. Nissenbaum et Michael Winship (éds), *A History of the Book in America*, vol. 3, *The Industrial Book, 1840–1880* (2007), essai de Barbara Sicherman, p. 281.
16 *Ibid.*, pp. 290, 372.
17 Allen, *op. cit.*, p. 29.
18 Carl F. Kaestle et Janice A. Radway, *A History of the Book in America*, vol. 4, *Print in Motion: The Expansion of Publishing and Reading in the United States, 1880–1940* (2009), essai de Carl F. Kaestle, p. 31.
19 Allen, *op. cit.*, p. 161.
20 Casper, Groves, Nissenbaum et Winship, *op. cit.*, p. 31.
21 Gerard Curtis, *Visual Words: Art and the Material Book in Victorian England* (2002), p. 255.
22 *Ibid.*, p. 260.
23 Ces problématiques, et les auteurs qui leur sont associés, ont été abordées à la conférence « Erotics of Late Nineteenth-Century Book Collecting », université de Cambridge, faculté de lettres, 28 juin 2014, sous les auspices de Victoria Mills.
24 William Carew Hazlitt, *The Confessions of a Collector* (1897), p. 224.
25 Octave Uzanne, *The Book-Hunter in Paris: Studies among the Bookstalls and the Quays* (1893), pp. 226, 109–110 ; éd. fr. originale : *Bouquinistes et bouquineurs : physiologie des quais de Paris du Pont Royal au Pont Sully* (1893).
26 Curtis, *op. cit.*, p. 259.
27 Flint, *op. cit.*, p. 4.

28 *Ibid.*, p. 258.
29 Peter Gay, *The Bourgeois Experience: Victoria to Freud*, vol. 2, *The Tender Passion* (1ère éd. brochée, 1999), p. 137 ; trad. fr. : *Une culture bourgeoise : Londres, Paris, Berlin... Biographie d'une classe sociale*, 1815-1914 (éd. brochée, 2005).
30 Flint, *op. cit.*, p. 3.
31 Cité sur www.royalcollection.org.uk/collection/403745/the-madonna-and-child.
32 Flint, *op. cit*, p. 254.
33 Cité in Tatlock, *op. cit.*, essai de Jennifer Drake Askey, p. 157.
34 Altick, *op. cit.*, p. 140.
35 Augustine Birrell, préface de Uzanne, *op. cit.*, p. vii.
36 Braida et Pieri, *op. cit.*, essai de Luisa Calè, p. 151.
37 Cité in Rhoda L. Flaxman, *Victorian Word-Painting and Narrative: Toward the Blending of Genres* (1987), p. 19.
38 Bills, *op. cit.*, p. 1, citation extraite de Ronald Pickvance, *English Influences on Van Gogh* (1974), p. 26.
39 Rosalind P. Blakesley, *The Russian Canvas: Painting in Imperial Russia, 1757–1881* (2016), p. 127.
40 Altick, *op. cit.*, p. 139.
41 Jean Seznec, *Literature and the Visual Arts in Nineteenth-Century France* (1963), p. 12.
42 Altick, *op. cit.*, p. 168.
43 Casper, Groves, Nissenbaum et Winship, *op. cit.*, essai de Louise Stevenson, p. 324.
44 Braida et Pieri, *op. cit.*, essai de J. J. L. Whiteley, p. 38.
45 Bills, *op. cit.*, essai d'Hilary Underwood, p. 80.
46 Roselyne de Ayala et Jean-Pierre Guéno, *Illustrated Letters: Artists and Writers Correspond*, trad. John Goodman (2000), pp. 13, 90 ; éd. fr. originale : *Les Plus Belles Lettres illustrées* (1998).
47 Dan Piepenbring, « Victor Hugo's Drawings », *Paris Review* en ligne, 26 février 2015.
48 David Wakefield, *The French Romantics: Literature and the Visual Arts, 1800–1840* (2007), p. 106.
49 John Rewald, *The History of Impressionism* (4e éd. rév., 1973), p. 52 ; trad. fr. : *Histoire de l'impressionnisme* (1976).
50 Françoise Cachin et Charles S. Moffett, en collaboration avec Michel Melot, *Manet 1832–1883* (1983), pp. 280–282 ; éd. fr. : *Manet* (1983).
51 Białostocki, *op. cit.*, pp. 62–63.
52 H. R. Graetz, *The Symbolic Language of Vincent van Gogh* (1963), p. 39.
53 Białostocki, *op. cit.*, p. 63.
54 Leo Jansen, Hans Luijten et Nienke Bakker (éds), *Vincent van Gogh – The Letters: The Complete Illustrated and Annotated Edition* (2009), lettre 853 ; trad. fr. : *Vincent van Gogh – Les lettres : Edition critique illustrée* (2009).

CHAPITRE 6

1 Tatlock, *op. cit.*, essai de Katrin Völkner, p. 263.
2 Curtis, *op. cit.*, p. 208.
3 M. C. Fischer et W. A. Kelly (éds), *The Book in Germany* (2010), essais de Jasmin Lange, p. 117, et Alistair McCleery, pp. 127–129.
4 Kaestle et Radway, *op. cit.*, essai d'Ellen Gruber Garvey, p. 186.
5 Molly Brunson, *Russian Realisms: Literature and Painting, 1840–1890* (2016), pp. 160–161.
6 Peter Burke, *Eyewitnessing: The Uses of Images as Historical Evidence* (2001), p. 75.
7 Manguel, *op. cit.*, p. 92.
8 Cité in Gustav Janouch, *Conversations with Kafka*, trad. Goronwy Rees (1985, 1re éd. 1971), pp. 34–37 ; éd. fr. : *Conversations avec Kafka* (1977).
9 Ulrich Finke (éd.), *French Nineteenth-Century Painting and Literature* (1972), p. 359.
10 Johanna Drucker, *The Century of Artists' Books* (2de éd., 2004), p. 46.
11 *Ibid.*, p. 60.
12 Kathryn Bromwich, « Mike Stilkey's Paintings on Salvaged Books – In Pictures », *The Guardian*, 20 juillet 2014.
13 David Paul Nord, Joan Shelley Rubin et Michael Schudson (éds), *A History of the Book in America*, vol. 5, *The Enduring Book* (2009), intro. de Michael Schudson.
14 Howard, *op. cit.*, p. 147.
15 Nord, Rubin et Schudson, *op. cit.*, p. 512.
16 Howard, *op. cit.*, p. 156.
17 Cité in Ireland, *op. cit.*, p. 172.
18 Robbie Millen, « Gilbert & George », *The Times*, 25 avril 2017.
19 Jo Steffens et Matthias Neumann (éds), *Unpacking My Library: Artists and Their Books* (2017).

GALERIE 1

1 Białostocki, *op. cit.*, p. 42.
2 Catherine Nixey, *The Darkening Age: The Christian Destruction of the Classical World* (2017), fournit une documentation complète.
3 Michael F. Suarez, S. J. et H. R. Woodhuysen (éds), *The Oxford Companion to the Book* (2010), vol. 1, essai de Brian Cummings, p. 63.
4 James Hall, *A History of Ideas and Images in Italian Art* (1983), p. 4.
5 Cité in Braida et Pieri, *op. cit.*, p. 3.
6 McGrath, *op. cit.*, p. 11.
7 Howard, *op. cit.*, p. 21.
8 Francis Haskell, *History and Its Images: Art and the Interpretation of the Past* (3e impression avec corrections, 1995), p. 434 ; trad. fr. : *L'Historien et les images* (1995).
9 Manguel, *op. cit.*, p. 171.
10 Cité in Finkelstein et McCleery, *op. cit.*, essai de Richard Altick, p. 344.
11 Howard, *op. cit.*, p. 58.
12 Jean-François Gilmont (éd.), *The Reformation and the Book*, trad. Karin Maag (1998), essai de Jean-François Gilmont, p. 482 ; éd. fr. originale : *La Réforme et le livre : L'Europe de l'imprimé* (1990).
13 Burke, *Eyewitnessing*, p. 114.
14 Amory et Hall, *op. cit.*, essai de Ross W. Beales et E. Jennifer Monaghan, p. 383.
15 John Stuart Mill, *Considerations on Representative Government* (1861), p. 14.
16 Cité in Christiane Inmann, *Forbidden Fruit: A History of Women and Books in Art* (2009), pp. 180–181.

GALERIE 2

1 Cité in Flint, *op. cit.*, p. 11.
2 Chartier, *Private Life*, p. 151.
3 Casper, Groves, Nissenbaum et Winship, *op. cit.*, essai de Barbara Sicherman, p. 282.
4 Chartier, *Private Life*, p. 124.
5 Allen, *op. cit.*, pp. 159, 145.
6 *Ibid.*, pp. 143, 172.
7 La peinture est reproduite in Steven Mintz et Susan Kellogg, *Domestic Revolutions: A Social History of American Family Life* (1988).

GALERIE 3

1 Cité in Ireland, *op. cit.*, p. 52.
2 Curtis, *op. cit.*, p. 235.
3 Mayor, *op. cit.*, n.p.
4 Białostocki, *op. cit.*, p. 55.
5 Lord Francis Napier, *Notes on Modern Painting at Naples* (1855), p. 13.
6 Cité in Gary Tinterow, Michael Pantazzi et Vincent Pomarède, *Corot* (1996), p. 278.
7 William Hazlitt, *Sketches of the Principal Picture-Galleries in England* (1824), pp. 1–22.

GALERIE 4

1 Cité in Ireland, *op. cit.*, p. 200.
2 Isaac D'Israeli, *Curiosities of Literature* (multiples éditions augmentées, 1791–1849), « Essay on Painting ».
3 McGrath, *op. cit.*, p. 105.
4 Flint, *op. cit.*, p. 17.
5 Howard, *op. cit.*, p. 71.
6 Białastocki, *op. cit.*, p. 47.
7 Curtis, *op. cit.*, p. 219.

8 Casper, Groves, Nissenbaum et Winship, *op. cit.*, essai de Barbara Sicherman, p. 293.
9 Tatlock, *op. cit.*, essai de Katrin Völkner, p. 252.
10 Houston, *op. cit.*, p. 252.
11 Chartier, *Private Life*, p. 137.
12 Commentaires de Baudelaire dans « The Salon of 1859 », *Revue française*, 10 juin – 20 juillet 1859. Courbet est cité in Heather McPherson, *The Modern Portrait in Nineteenth-century France* (2001), p. 24.
13 Jansen, Luijten et Bakker, *op. cit.*, lettre 574.
14 Cité in Charles Chassé, *Gauguin et le groupe de Pont-Aven* (1921), p. 52.

LISTE DES ILLUSTRATIONS

Les numéros en gras font référence aux pages.
g = à gauche ; d = à droite

1 Albrecht Dürer (attr.), « Fou de livres », gravure sur bois *La Nef des fous*, 1494, de Sébastien Brant. Lebrecht Music and Arts Photo Library/Alamy Stock Photo **2** Félix Vallotton, *La Bibliothèque*, 1921. Huile sur toile, 81 × 60,5 cm. Musée départemental du Prieuré, Saint-Germain-en-Laye, Musée d'Orsay, Paris **4–5 (détail), 95d** Gérard Dou, *Vieille Femme lisant*, v. 1630. Huile sur panneau, 71 × 55,5 cm. Rijksmuseum, Amsterdam **8** Ilya Repin, *Vsevolod Mikhailovich Garshin*, 1884. Huile sue toile, 88,9 × 69,2 cm. Metropolitan Museum of Art, New York. Gift of Humanities Fund Inv., 1972 (1972.145.2) **12–13 (détail), 223** Gustave Courbet, *Portrait de Charles Baudelaire*, 1848. Huile sur toile, 54 × 65 cm. Musée Fabre, Montpellier **14** Tommaso da Modena, *Portrait du cardinal Hugo de Provence*, 1352. Fresque. Seminario Vescovile, Trévise. Photo Scala, Florence **23** « Les quatre points de l'enseignement des jeunes : la lecture, le dessin, le combat et le chant », *La Politique d'Aristote*, fin du XVe siècle. Bibliothèque Nationale de France, Paris (FR 22500, f. 248) **24** Giorgio Vasari, *Le Lecteur*, v. 1542–1548. Sala delle Virtù, Casa Vasari, Arezzo. Photo Alessandro Benci. Courtesy Ministero dei Beni e Att. Culturali e del Turismo – Soprintendenza Archeologica Belle Arti e Paesaggio per le province di Siena, Grosseto e Arezzo **34** Diego Velázquez, *Le Bouffon Diego de Acedo*, v. 1645. Huile sur toile, 107 × 82 cm. Museo Nacional del Prado, Madrid **39** Juan de Valdés Leal, *Allégorie de la vanité*, 1660. Huile sur toile, 130,4 × 99,3 cm. Wadsworth Atheneum, Hartford, CT. The Ella Gallup Sumner and Mary Catlin Sumner Collection Fund **40** François Boucher, *Portrait de Madame de Pompadour*, 1756. Huile sur toile, 201 × 157 cm. Alte Pinakothek, Munich **47** Élisabeth Louise Vigée Le Brun, *La Vicomtesse de Vaudreuil*, 1785. Huile sur panneau, 83,2 × 64,8 cm. The J. Paul Getty Museum, Los Angeles **48** Vincent van Gogh, *L'Arlésienne (Madame Ginoux), Saint-Rémy*, février 1890. Huile sur toile, 65 × 49 cm. Kröller-Müller Museum, Otterlo **61** Edgar Degas, *Jeune Fille étendue et regardant un album*, v. 1889. Pastel, 99,1 × 67 cm. Christie's Images, Londres/Scala, Florence **62** Albert Gleizes, *Portrait de Jacques Nayral*, 1911. Huile sur toile, 161,9 × 114 cm. Tate, Londres. © ADAGP, Paris et DACS, Londres 2018 **70–71 (détail), 173** Gustave Courbet, *Jeune Fille lisant*, v. 1866–1868. Huile sur toile, 60 × 72,9 cm. National Gallery of Art, Washington, D.C., Chester Dale Collection (1963.10.114) **72** Antonello da Messina, *Vierge de l'Annonciation*, v. 1476. Huile sur panneau, 45 × 34,5 cm. Palazzo Abatellis, Palerme **78** Atelier de Robert Campin, *Triptyque de Mérode (Triptyque de l'Annonciation)*, v. 1425–1430. Huile sur panneau, 64,5 × 117,8 cm. Metropolitan Museum of Art, New York. The Cloisters Collection, 1956 (56.70) **79** Rogier van der Weyden, *Marie Madeleine lisant*, 1438. Huile sur panneau, 62,2 × 54,4 cm. National Gallery, Londres (NG654). Photo World History Archive/Alamy Stock Photo **80** Fra Angelico, *Dérision du Christ*, 1440. Fresque, cellule 7. Convento di San Marco, Florence **81** *Carlo Crivelli*, *Saint Étienne*, panneau du *Retable Demidoff*, 1476. Tempera sur panneau, 61 × 40 cm. National Gallery, Londres (NG788.8). Photo ART Collection/Alamy Stock Photo **82** Hugo van der Goes, *Sainte Geneviève*, après 1479. Huile sur panneau, 38,8 × 22,9 cm. Kunsthistorisches Museum, Vienne (Nr.5822 B) **83** Rogier van der Weyden, *La Vierge Durán*, 1435–1438. Huile sur panneau, 100 × 52 cm. Museo Nacional del Prado, Madrid **85** Raphaël, *La Madone d'Alba*, v. 1510. Huile sur panneau transférée sur toile, diamètre 94,5 cm. National Gallery of Art, Washington, D.C. Andrew W. Mellon Collection (1937.1.24) **86** Artiste allemand inconnu, *Nature morte avec livre enluminé ouvert*, XVIe siècle. Huile sur panneau, 70,2 × 65 cm. Uffizi, Florence. Photo De Agostini Picture Library/akg-images **87** Sandro Botticelli, *La Madone du livre*, 1483. Tempera sur panneau, 58 × 39,5 cm. Poldi Pezzoli, Milan **88** Albrecht Dürer, *Les Quatre Apôtres*, 1526. Huile sur panneau, chacun 215 × 76 cm. Alte Pinakothek, Munich **90g** Quentin Metsys, *Portrait d'une femme*, v. 1520. Huile sur panneau, 48,3 × 43,2 cm. Metropolitan Museum of Art, New York. The Friedsam Collection, Bequest of Michael Friedsam, 1931 (32.100.47) **90d** Maarten van Heemskerck, *Panneau de retable avec donateurs*, v. 1540–1545. Huile sur panneau, 80,5 × 35 cm. Kunsthistorisches Museum, Vienne (6950,6951) **91** Giovanni Battista Moroni, *Abbesse Lucrezia Agliardi Vertova*, 1557. Huile sur toile, 91,4 × 68,6 cm. Metropolitan Museum of Art, New York. Collection Theodore M. Davis, Bequest of Theodore M. Davis, 1915 (30.95.255) **92–93** École allemande, *Martin Luther dans le cercle des réformateurs*, 1625–1650. Huile sur panneau, 67,5 × 90 cm. Deutsches Historisches Museum, Berlin/DHM/Bridgeman Images **94** Rembrandt van Rijn, *Vieille Femme lisant*, 1631. Huile sur panneau, 60 × 48 cm. Rijksmuseum, Amsterdam **95g** Jan Lievens, *Vieille Femme lisant*, 1626–1633. Huile sur panneau, 78 × 68 cm. Rijksmuseum, Amsterdam **95d** voir pp. 4–5 **96** Paulus Moreelse, *Marie-Madeleine pénitente*, 1630. Huile sur toile,

58 × 71,5 cm. Musée des Beaux-Arts, Caen (93.1.1). Photo Erich Lessing/akg-images **97** Georges de La Tour, *Marie-Madeleine à la flamme filante*, v. 1638–1640. Huile sur toile, 117 × 91,76 cm. Los Angeles County Museum of Art. Gift of The Ahmanson Foundation (M.77.73) **98** Johannes Vermeer, *Allégorie de la foi*, v. 1670–1672. Huile sur toile, 114,3 × 88,9 cm. Metropolitan Museum of Art, New York. The Friedsam Collection, Bequest of Michael Friedsam, 1931 (32.100.18) **99** sir Godfrey Kneller, *Portrait d'une femme en sainte Agnès*, 1705–1710. Huile sur toile, 78,7 × 66 cm. Yale Center for British Art, Paul Mellon Fund (B1990.14) **100** Niels Bjerre, *Réunion de prière*, 1897. Huile sur toile, 82 × 107 cm. Aarhus Art Museum, Danemark (EU1900) **101** Georg Scholz, *Fermiers industriels*, 1920. Huile et collage sur contreplaqué, 98 × 70 cm. Von der Heydt-Museum, Wuppertal **102** Gari Melchers, *La Communiante*, v. 1900. Huile sur toile, 160,7 × 109,2 cm. Detroit Institute of Arts. Bequest of Mr and Mrs Charles M. Swift (69.527) **103** Marc Chagall, *La Prise (Rabbin)*, 1923–1926. Huile sur toile, 116,7 × 89,2 cm. Kunstmuseum Basel (1738). Chagall ®/© ADAGP, Paris et DACS, Londres 2018 **104** André Derain, *Samedi*, 1911–1913. Huile sur toile, 181 × 228 cm. Musée des beaux-arts Pouchkine, Moscou (3353). Photo Scala, Florence. © ADAGP, Paris et DACS, Londres 2018 **105** Stanley Spencer, *Separating Fighting Swans*, v. 1932–1933. Huile sur toile, 91,4 × 72,4 cm. Leeds Museums and Galleries, City Art Gallery, Leeds. © Estate de Stanley Spencer/ Bridgeman Images **106** Pierre-Antoine Baudouin, *La Lecture*, v. 1760. Gouache, 29 × 23,5 cm. Les Arts Décoratifs, Paris. Legs Georges Heine, 1919 (26829). Photo Jean Tholance/akg-images **110** Vincenzo Foppa, *Cicéron enfant lisant*, v. 1464. Fresque, 101,6 × 143,7 cm. Wallace Collection, Londres **111** Francisco de Zurbarán, *La Maison de Nazareth*, v. 1640. Huile sur toile, 165 × 218,2 cm. The Cleveland Museum of Art. Leonard V. Hanna, Jr. Fund (1960.117) **112** Jean-Étienne Liotard, *Marie Adélaïde de France*, v. 1748–1752. Huile sur toile, 50 × 56 cm. Uffizi, Florence **113** Pietro Rotari, *Jeune Femme avec un livre*, 1756–1762. Huile sur toile, 46 × 36 cm. Rijksmuseum, Amsterdam **114** Auguste Bernard d'Agesci, *Femme lisant les lettres d'Héloïse et Abélard*, v. 1780. Huile sur toile, 81,3 × 64,8 cm. Art Institute of Chicago. Mrs. Harold T. Martin Fund ; Lacy Armour Endowment ; Charles H. and Mary F.S. Worcester Collection (1994.430) **115** Anna Dorothea Lisiewska-Therbusch, *Autoportrait*, v. 1776–1777. Huile sur toile, 151 × 115 cm. Staatliche Museen, Berlin **116** Richard Brompton (attr.), Conversation Piece, v. années 1770. Huile sur toile, 91,3 × 73,7 cm. Temple Newsam House, Leeds Museums and Art Galleries/ Bridgeman Images **117** Pieter Fonteyn, *La Femme déchue*, 1809. Huile sur toile, 226 × 140 cm. Collection privée. Photo Rafael Valls Gallery, Londres/Bridgeman Images **118** Antoine Wiertz, *La Liseuse de romans*, 1853. Huile sur toile, 125 × 157 cm. Musée Royaux des beaux-arts de Belgique, Bruxelles (1971) **119** Robert Braithwaite Martineau, *The Last Chapter*, 1863. Huile sur toile, 71,5 × 31,7 cm. Birmingham Museums and Art Gallery **120** William Hogarth, *The Cholmondeley Family*, 1732. Huile sur toile, 71 × 90,8 cm. Collection privée **121** Joseph-Marcellin Combette, *Portrait de famille*, 1800–1801. Huile sur toile, 58 × 74 cm. Musée des Beaux-Arts, Tours **122** Artiste allemand inconnu, *Scène domestique*, v. 1775–1780. Huile sur toile, 45,7 × 37,8 cm. Metropolitan Museum of Art, New York. Bequest of Edward Fowles, 1971 (1971.115.6) **123** sir William Beechey, *Mr and Mrs Hayward with their Children*, 1789. Huile sur toile, 68,5 × 80,8 cm. Christie's Images, Londres/Scala, Florence **124** Bronzino, *Portrait d'une jeune fille tenant un livre*, v. 1545. Tempera sur panneau, 58 × 46 cm. Uffizi, Florence (1890–770) **125** George Romney, *Portrait of Two Girls (Misses Cumberland)*, v. 1772–1773. Huile sur toile, 76 × 63,5 cm. Museum of Fine Arts, Boston. Robert Dawson Evans Collection (17.3259) **126** William-Adolphe Bouguereau, *Le Livre de fables*, 1877. Huile sur toile, 59,1 × 48,3 cm. Los Angeles County Museum of Art. Mary D. Keeler Bequest (40.12.40) **127** Pierre Auguste Renoir, *Les Enfants de Martial Caillebotte*, 1895. Huile sur toile, 65 × 82 cm. Collection privée. Josse Christophel/Alamy Stock Photo **128** Paul Gauguin, *Clovis*, v. 1886. Huile sur toile, 56,6 × 40,8 cm. Collection privée **129** Federico Zandomeneghi, *Jeune Fille lisant*, années 1880. Huile sur toile, 38,8 × 46,3 cm. Christie's Images, Londres/Scala, Florence **130** Jean-Auguste-Dominique Ingres, *Paolo et Francesca*, 1819. Huile sur toile, 47,9 × 39 cm. Musée des Beaux-Arts, Angers **131** Paul Delaroche, *Édouard V, roi mineur d'Angleterre, et Richard, duc d'York, son frère puiné*, 1831. Huile sur toile, 181 × 215 cm. Musée du Louvre, Paris (3834) **132** Edouard Manet, *La Lecture*, 1868. Huile sur toile, 60,5 × 73,5 cm. Musée d'Orsay, Paris **133** Alfred Stevens, *La Myope*, 1903. Huile sur toile, 41 × 33 cm. Photo Bonhams **134–135** Gustave Caillebotte, *Intérieur, Femme lisant*, 1880. Huile sur toile, 65 × 81 cm. Collection privée. Photo Josse/Scala, Florence **136** Anders Zorn, *La Femme de l'artiste*, 1889. Pastel, 50 × 33 cm. Nationalmuseum, Stockholm (NMB 340). Photo Erik Cornelius **137** Albert Bartholomé, *La Femme de l'artiste lisant*, 1883. Pastel et fusain, 50,5 × 61,3 cm. Metropolitan Museum of Art, New York. Catharine Lorillard Wolfe Collection, Wolfe Fund, 1990 (1990.117) **138** Philip Wilson Steer, *Mrs Cyprian Williams and her Two Little Girls*, 1891. Huile sur toile, 76,2 × 102,2 cm. Tate, Londres **139** James Jebusa Shannon, *Jungle Tales*, 1895. Huile sur toile, 87 × 113,7 cm. Metropolitan Museum of Art, New York. Arthur Hoppock Hearn Fund, 1913 (13.143.1) **140** sir John Lavery, *The Red Book*, v. 1902. Huile sur toile, 76,3 × 63,5 cm. Collection privée **141** Alfred Stevens, *Le Bain*, 1873–1874. Huile sur toile, 73,5 × 92,8 cm. Musée d'Orsay, Paris **142** Boris Grigoriev, *Femme lisant*, v. 1922. Huile sur toile, 54 × 65,1 cm. Metropolitan Museum of Art, New York. Gift of Humanities Fund Inv., 1972 (1972.146.1) **143** Anonyme, *Intérieur, femme de chambre et homme avec livres*, fin du XVIIIe siècle. Huile sur toile, 46 × 38 cm. Harris Museum & Art Gallery, Preston **144** Vanessa Bell, *Interior with Artist's Daughter*, v. 1935–1936. Huile sur toile, 73,7 × 61 cm. Charleston Trust, bequeathed by Ben Duncan and Dick Chapman. © The Estate of Vanessa Bell, courtesy Henrietta Garnett

145 Pierre Bonnard, *La Lecture*, 1905. Huile sur toile, 52 × 62,4 cm. Collection privée **146** Charles D. Sauerwein, *Reveries of a Bachelor*, 1855–1870. Huile sur toile, 31 × 45 cm. Shelburne Museum, Vermont/Bridgeman Images **147** William McGregor Paxton, *The House Maid*, 1910. Huile sur toile, 76,5 × 64 cm. National Gallery of Art, Washington, D.C., Corcoran Collection. Museum Purchase, Gallery Fund (2014.136.11) **148–149** Balthus, *La Salle à manger*, 1942. Huile sur toile, 114,8 × 146,9 cm. Museum of Modern Art, New York. Estate of John Hay Whitney (245.1983). © Balthus **150** Henri Matisse, *La Liseuse au guéridon*, 1921. Huile sur toile, 55,5 × 46,5 cm. Kunstmuseum, Berne. Photo Archives H. Matisse, tous droits réservés. © Succession H. Matisse/DACS 2018 **151** Christopher Wood, *The Manicure (Portrait of Frosca Munster)*, 1929. Huile sur toile, 152,4 × 101,6 cm. Bradford Museums and Galleries. **152** Juan Gris, *Le Pierrot au livre*, 1924. Huile sur toile, 65,5 × 50,8 cm. Tate, Londres. Bequeathed by Elly Kahnweiler 1991 to form part of the gift of Gustav and Elly Kahnweiler, accessioned 1994 **153** Robert Delaunay, *Femme nue lisant*, 1915. Huile sur toile, 86,2 × 72,4 cm. National Gallery of Victoria, Melbourne. Felton Bequest, 1966 (1665–5) **154–155** Roger de la Fresnaye, *La Vie conjugale*, 1912. Huile sur toile, 98,9 × 118,7 cm. Minneapolis Institute of Art. The John R. Van Derlip Fund (52.1) **156** Pablo Picasso, *La Femme lisant*, 1932. Huile sur toile, 130,5 × 97,8 cm. Norton Simon Foundation, Pasadena, CA (F.1969.38.10.P). © Succession Picasso/DACS, Londres 2018 **157** Fernand Léger, *La Lecture*, 1924. Huile sur toile, 113,5 × 146 cm. Musée National d'Art Moderne, Centre Pompidou, Paris. © ADAGP, Paris et DACS, Londres 2018 **158** François-Xavier Fabre, *Portrait d'un officier sur les hauteurs de Florence*, début des années 1800. Huile sur toile, 115 × 82 cm. Christie's Images, Londres/Scala, Florence **162** Anonyme, *Homme lisant*, v. 1660. Huile sur toile, 88 × 66,5 cm. Rijksmuseum, Amsterdam **163** Joseph Wright of Derby, *Sir Brooke Boothby*, 1781. Huile sur toile, 148,6 × 207,6 cm. Tate, Londres. Bequeathed by Miss Agnes Ann Best 1925 **164–165** Arthur Devis, *Portrait of a Family, Traditionally Known as the Swaine Family of Fencroft, Cambridgeshire*, 1749. Huile sur toile, 64,1 × 103,5 cm. Yale Center for British Art, Paul Mellon Collection (B1981.25.234) **166** Pompeo Batoni, *Portrait d'un jeune homme*, v. 1760–1765. Huile sur toile, 246,7 × 175,9 cm. Metropolitan Museum of Art, New York. Rogers Fund, 1903 (03.37.1) **167** Giuseppe Cammarano, *La Reine Caroline en costume napolitain*, 1813. Huile sur toile, 32,7 × 23,8 cm. Museo Napoleonico, Rome. Paul Fearn/Alamy Stock Photo **168** Luca Carlevarijs, *Venise : La Piazzetta avec personnages*, début du XVIIIe siècle. Huile sur toile, 46 × 39 cm. Ashmolean Museum, University of Oxford. Art Collection 3/Alamy Stock Photo **169** José Jiménez y Aranda, *Les Bibliophiles*, 1879. Huile sur panneau, 35,6 × 50,8 cm. Christie's Images, Londres/Scala, Florence **170** Maurice Denis, *Les Muses*, 1893. Huile sur toile, 171,5 × 137,5 cm. Musée d'Orsay, Paris **171** Jean-Baptiste-Camille Corot, *La Toilette*, 1859. Huile sur toile, 150 × 89,5 cm. Collection privée, Paris **172** Augustus Leopold Egg, *The Travelling Companions*, 1862. Huile sur toile, 64,5 × 76,5 cm. Birmingham Museum and Art Gallery **173** voir pp. 70–71 **174** Edouard Manet, *Sur la plage*, 1873. Huile sur toile, 95,9 × 73 cm. Musée d'Orsay, Paris **175** Augustus John, *The Blue Pool*, 1911. Huile sur panneau, 30,2 × 50,5 cm. Aberdeen Art Gallery & Museums. Purchased with income from the Macdonald Bequest, 1927. © Estate d'Augustus John/Bridgeman Images **176** Edouard Manet, *Le Chemin de fer*, 1873. Huile sur toile, 93,3 × 111,5 cm. National Gallery of Art, Washington, D.C., Gift of Horace Havemeyer in memory of his mother, Louisine W. Havemeyer (1956.10.1) **177** Berthe Morisot, *La Lecture*, 1873. Huile sur toile, 46 × 71,8 cm. Cleveland Museum of Art, Gift of Hanna Fund (1950.89) **178** James Jacques Joseph Tissot, *London Visitors*, 1874. Huile sur toile, 160 × 114,2 cm. Toledo Museum of Art, Ohio. Purchased with funds from the Libbey Endowment, Don d'Edward Drummond Libbey (1951.409) **179** Edgar Degas, *Mary Cassatt au Louvre : Galerie des peintures*, 1885. Pastel sur eau-forte, aquatinte, pointe sèche et crayon électrique sur papier vergé brun, 30,5 × 12,7 cm. Art Institute of Chicago. Bequest of Kate L. Brewster (1949.515) **180** sir Lawrence Alma-Tadema, *94° in the Shade*, 1876. Huile sur toile marouflée sur bois, 35,3 × 21,6 cm. Fitzwilliam Museum, Cambridge **181** Gyula Benczúr, *Femme lisant dans une forêt*, 1875. Huile sur toile, 87,5 × 116,5 cm. Galerie nationale hongroise, Budapest (61.121T) **182–183** Winslow Homer, *The New Novel*, 1877. Aquarelle et gouache sur papier, 24,1 × 51,9 cm. The Michele and Donald D'Amour Museum of Fine Arts. Springfield, Massachusetts. The Horace P. Wright Collection. Photo David Stansbury **184** Jean-Baptiste-Camille Corot, *Femme lisant*, 1869. Huile sur toile, 54,3 × 37,5 cm. Metropolitan Museum of Art, New York. Gift of Louise Senff Cameron, in memory of her uncle, Charles H. Senff, 1928 (28.90) **185** James Jebusa Shannon, *On the Dunes (Lady Shannon and Kitty)*, v. 1901–1910. Huile sur toile, 186,4 × 143 cm. National Museum of American Art, Smithsonian Institution, Washington, D.C. **186–187** George Washington Lambert, *The Sonnet*, v. 1907. Huile sur toile, 113,3 × 177,4 cm. National Gallery of Australia, Canberra. Bequest of John B. Pye, 1963 (NGA1963.18) **188** Théo van Rysselberghe, *La Dame en blanc*, 1904. Huile sur toile, 91,5 × 73 cm. Musée d'Art Moderne et d'Art Contemporain, Liège **189** sir John Lavery, *The Green Hammock*, v. 1905. Huile sur toile-panneau, 26 × 36,6 cm. Christie's Images, Londres/Scala, Florence **190–191** Edvard Munch, *Noël au bordel*, 1904–1905. Huile sur toile, 60 × 88 cm. Musée Munch, Oslo **192** Fred Goldberg, *Dimanche après-midi*, 1930. Huile sur contreplaqué, 97,5 × 133,5 cm. Staatliche Kunsthalle, Karlsruhe **193** Guy Pène du Bois, *Third Avenue El*, 1932. Huile sur toile, 91,4 × 73,7 cm. Christie's Images, Londres/Scala, Florence © The Estate of Yvonne Pène du Bois McKenney **194–195** Edward Hopper, *People in the Sun*, 1960. Huile sur toile, 102,6 × 153,4 cm. Smithsonian American Art Museum, Gift of S.V. Johnson & Son, Inv. (1969.47.61) **196** Ludger tom Ring l'Ancien, *Virgile le poète*, v. 1538. Huile sur panneau, 44 × 31 cm. Westfälisches Landesmuseum für Kunst und

Kulturgeschichte, Münster. Prêt de Gesellschaft zur Förderung westfälischer Kulturarbeit (1173 FG). Photo akg-images **201** Antonello da Messina, *Saint Jérôme dans son étude*, v. 1475. Huile sur panneau, 45,7 × 36,2 cm. National Gallery, Londres (NG1418)/World History Archive/Alamy Stock Photo **202** Giuseppe Arcimboldo, *Le Bibliothécaire*, années 1560. Huile sur toile, 97 × 71 cm. Château de Skokloster, Suède **203** Rosso Fiorentino (attr.), *Portrait de Machiavel*, début du XVIe siècle. Huile sur panneau, dimensions inconnues. Casa del Machiavelli, Sant'Andrea in Percussina. Photo Scala, Florence **204** Sebastiano del Piombo, *Le Cardinal Bandinello Sauli, son secrétaire et deux géographes*, 1516. Huile sur panneau, 121,8 × 150,4 cm. National Gallery of Art, Washington, D.C., Samuel H. Kress Collection (1961.9.37) **205** Quentin Metsys, *Le Prêteur et sa femme*, 1514. Huile sur panneau, 70,5 × 67 cm. Musée du Louvre, Paris (1444) **206** École française, *Le Colporteur*, XVIIe siècle. Huile sur toile, 72 × 85 cm. Musée du Louvre, Paris (RF1939-2) **207** Jan Davidsz. de Heem, *Nature morte avec livres*, 1628. Huile sur panneau, 31,2 × 40,2 cm. Fondation Custodia, collection Frits Lugt, Paris (183) **208** Jusepe de Ribera, *Euclide*, v. 1630–1635. Huile sur toile, 125,1 × 92,4 cm. The J. Paul Getty Museum, Los Angeles **209** Caspar Kenckel (attr.), *Portrait d'Olof Rudbeck*, 1687. Huile sur toile, 84 × 67 cm. Nationalmuseum, Stockholm (NMGrh2627) **210** Jan van der Heyden, *Coin d'une bibliothèque*, 1711. Huile sur toile, 77 × 63,5 cm. Museo Thyssen-Bornemisza, Madrid (1981.40) **211** Johannes Vermeer, *L'Astromone*, 1668. Huile sur toile, 51 × 45 cm. Musée du Louvre, Paris (RF1983-28) **212** Jan Steen, *Enfants apprenant à un chat à lire*, 1665–1668. Huile sur panneau, 45 × 35,5 cm. Kunstmuseum Basel, Vermächtnis Max Geldner, Basel 1958 (G 1958.39) **213** Constantin Verhout, *Étudiant endormi*, 1663. Huile sur panneau, 38 × 31 cm. Nationalmuseum, Stockholm (NM677) **214** Jonathan Richardson, *Portrait of the Artist's Son in his Study*, v. 1734. Huile sur toile sur panneau, 90,4 × 71,5 cm. Tate, Londres. Photo akg-images **215** Jean-Siméon Chardin, *Le singe antiquaire*, v. 1725–1745. Huile sur toile, 81 × 64 cm. Musée du Louvre, Paris (3206). Photo RMN-Grand Palais (musée du Louvre)/René-Gabriel Ojéda **216** Ralph Earl, *Esther Boardman*, 1789. Huile sur toile, 108 × 81,3 cm. Metropolitan Museum of Art, New York. Gift of Edith et Henry Noss, 1991 (1991.338) **217** Ralph Earl, *Elijah Boardman*, 1789. Huile sur toile, 210,8 × 129,5 cm. Metropolitan Museum of Art, New York. Bequest of Susan W. Tyler, 1979 (1979.395) **218–219** Jean-Siméon Chardin, *La Jeune Maîtresse d'école*, après 1740. Huile sur toile, 58,3 × 74 cm. National Gallery of Art, Washington, D.C., Andrew W. Mellon Collection (1937.1.91) **220** Richard Wilson, *Prince George and Prince Edward Augustus, Sons of Frederick, Prince of Wales, with Their Tutor Dr. Francis Ayscough*, v. 1748–1749. Huile sur toile, 63,5 × 76,5 cm. Yale Center for British Art, Paul Mellon Collection (B1981.25.689) **221** Jan Lievens, *Le Prince Charles Louis du Palatinat avec son tuteur Wolrad von Plessen en costumes historiques*, 1631. Huile sur toile, 104,5 × 97,5 cm. The J. Paul Getty Museum, Los Angeles **222** Joseph Mallord William Turner, *A Man Seated at a Table in the Old Library*, 1827. Gouache et aquarelle sur papier, 14,1 × 19,1 cm. Tate, Londres **223** voir pp. 12–13 **224** Silvestro Lega, *La Leçon de lecture*, 1881. Huile sur toile, 116 × 90 cm. Collection privée. Josse Christophel/Alamy Stock Photo **225** Auguste Toulmouche, *La Leçon de lecture*, 1865. Huile sur toile, 36,5 × 27,6 cm. Museum of Fine Arts, Boston (24.1) **226** François Bonvin, *Nature morte avec livre, papiers et encrier*, 1876. Huile sur zinc, 36,2 × 48,3 cm. National Gallery, Londres (NG3234)/Heritage Image Partnership Ltd/Alamy Stock Photo **227** Le Guerchin, *Portrait de Francesco Righetti*, v. 1626–1628. Huile sur toile, 83 × 67 cm. Collection privée. Photo Art Collection/Alamy Stock Photo **228** Édouard Manet, *Portrait d'Emile Zola*, 1868. Huile sur toile, 146 × 114 cm. Musée d'Orsay, Paris **229** Pierre-Auguste Renoir, *Portrait de Claude Monet*, 1872. Huile sur toile, 65 × 50 cm. National Gallery of Art, Washington, D.C., Collection Mr et Mrs Paul Mellon (1985.64.35) **230** Giorgio de Chirico, *Le Cerveau de l'enfant*, 1914. Huile sur toile, 81,5 × 65 cm. Moderna Museet, Stockholm. © DACS 2018 **231** Vincent van Gogh, *Nature morte avec bible*, 1885. Huile sur toile, 65,7 × 78,5 cm. Van Gogh Museum, Amsterdam **232** Théo van Rysselberghe, *Une lecture*, 1903. Huile sur toile, 181 × 241 cm. Musée des beaux-arts, Gand. Photo Hugo Maertens, Lukas – Art in Flanders VZW **233** Paul Gauguin, *Portrait de Jacob Meyer de Haan*, 1889. Huile sur panneau, 79,6 × 51,7 cm. Museum of Modern Art, New York. Gift of Mr and Mrs David Rockefeller (2.1958) **234** Edgar Degas, *Portrait d'Edmond Duranty*, 1879. Tempera et pastel sur lin, 100,6 × 100,6 cm. Burrell Collection, Glasgow **235** Duncan Grant, *James Strachey*, 1910. Huile sur toile, 63,5 × 76,2 cm. © Tate, Londres **236** Egon Schiele, *Portrait d'Hugo Koller*, 1918. Huile sur toile, 140 × 110 cm. Österreichische Galerie Belvedere, Vienne **237** Paul Cézanne, *Portrait de Gustave Geffroy*, 1895. Huile sur toile, 110 × 89 cm. Musée d'Orsay, Paris **238** Gwen John, *The Student*, 1903–1904. Huile sur toile, 56,1 × 33,1 cm. Manchester City Art Gallery **239** Egon Schiele, *Nature morte avec livres (bureau de Schiele)*, 1914. Huile sur toile, 117,5 × 78 cm. Leopold Museum, Vienne **240** Nora Heysen, *A Portrait Study*, 1933. Huile sur toile, 86,5 × 66,7 cm. Tasmanian Museum and Art Gallery, Hobart. © Lou Klepac **241** Sofonisba Anguissola, *Autoportrait*, 1554. Huile sur bois de peuplier, 19,5 × 12,5 cm. Kunsthistorisches Museum, Vienne **242–243** Édouard Vuillard, *Jeanne Lanvin*, v. 1933. Tempera sur toile, 124,5 × 136,5 cm. Musée d'Orsay, Paris. Legs de la comtesse Jean de Polignac, fille de Jeanne Lanvin, 1958 **244** Florine Stettheimer, *Portrait de Carl Van Vechten*, 1922. Huile sur toile, 91 × 80 cm. Yale Collection of American Literature, New Haven, CT **245** Alice Neel, *Kenneth Fearing*, 1935. Huile sur toile, 76,5 × 66 cm. Museum of Modern Art, New York. Gift of Hartley S. Neel and Richard Neel (28.1988). © The Estate of Alice Neel **246** René Magritte, *La Reproduction interdite*, 1937. Huile sur toile, 81,5 × 65,5 cm. Museum Boijmans Van Beuningen, Rotterdam. © ADAGP, Paris et DACS, Londres 2018.

Les numéros en italique font référence aux pages.

Abélard 114
Académie Royale 33
Ainsworth, William Harrison 11
Alberti, Leon Battista 27
Alexandre le Grand 221
Alphonse d'Aragon 27
Alice au pays des merveilles 10, 69
Alma-Tadema, sir Lawrence *180*
Anguissola, Sofonisba *241*
Antonello da Messina *72*, 74, *201*
Apollinaire, Guillaume 104
Arcimboldo, Giuseppe *202*
Arétin 30
Aristote 20, 21, 23, 198, 221
Attila le Hun 74, 82
Aubry, Étienne 142
Auras, Mary 140
Aurier, Albert 50, 60
Ayscough, Dr Francis 220

Balthus *148–149*
Balzac, Honoré de 11, 51
Bämler, Johann 28
Bandinelli, Baccio 32, 33
Baroque 9, 36, 37, 45, 96, 97, 208, 226
Bartalo, Camilla 26
Bartholomé, Albert *137*
Batoni, Pompeo *166*
Batteux, Charles 43
Baudelaire, Charles 51, 59, 133, *223*
Baudouin, Pierre-Antoine 44, *106*, 108
Bazille, Frédéric 177, 229
Beecher, Henry Ward 10
Beechey, sir William *123*
Beier, Adrian 38
Bell, Clive 144 ; Quentin 163 ; Vanessa *144*
Bellamy, George 192
Bellori, Giovanni Pietro 58
Benczúr, Gyula 161, *181*
Bening, Alexander 82
Bening, Simon 19
Benjamin, Walter 69
Bennett, Arnold 140
Bergmann, Johannes 31
Berlinghieri, Bonaventura 198
Berthier, Charlotte *134–135*
Beyer, Johann Rudolf Gottlieb 46
Bienville, J. D. T. de 114
Binyon, Laurence 238
Birrell, Augustine 57
Bjerre, Niels *100*
Blanc, Charles 59, 229
Blanchard, Thérèse 149
Blanche, Jacques-Émile 137
Bloch, Iwan 54
Boccace 26, 30
Bodmer, Johann Jakob 43
Bodoni, Giambattista 45
Bonnard, Pierre 67, 109, *145*
Bonvin, François 52, *226*
Bosch, Hieronymous 76, 213
Boswell, James 166
Botticelli, Sandro *87*
Boucher, François *40*, 42, 44, 108, 109
Bouguereau, William-Adolphe *126*
Boullée, Étienne-Louis 46
Brant, Sébastien *1*, 31
Braque, Georges 67
Brassaï 157
Brecht, Bertolt 9
Brompton, Richard *116*
Bronzino 30, 113, *124*
Brown, Catharine 51
Browning, Robert 57
Bundy, Edgar 52
Burckhardt, Jacob 241
Burne-Jones, sir Edward 81
Burney, Fanny 43

Caillebotte, Gustave 109, 127, *134–135*
Calvin, Jean 76, 92
Calyo, Nicolino 109
Cammarano, Giuseppe *167*
Campin, Robert (Maître de Flámalle) *78*, 79
Capella, Martianus 20
Caravage 208
Carducho, Vicente 38, 39
Carlevarijs, Luca *168*
Carlyle, Thomas 232
Carmontelle, Louis 109
Caro, Annibale 30
Carpaccio, Vittore 26
Carracci (frères) 32 ; Ludovico 208
Cassiodore 18
Castiglione, Baldassare 33, 36, 241
Catherine d'Aragon 38
Catherine, la Grande 116
Cellini, Benvenuto 32, 33
Cennini, Cennino 27
Cervantès, Miguel de 52, 58
Cézanne, Paul *237*
Chagall, Marc *103*
Chapman, John Watkins 58
Chardin, Jean-Siméon 45, 46, *215*, *218–219*, 226
Charlemagne, empereur 16, 86
Charles Ier, roi (Angleterre) 221
Charles II, roi (Angleterre) 99
Charles IV, roi (France) 21
Charles X, roi (France) 131
Chernetsov (frères) 57
Chevalier, Tracy 58
Cicéron 28, 69, *110*
Cimabue 29
Clarus, Julius 226
Clorio, Giulio 36
Cochlaeus, Johann 92
Colman, Samuel 44
Combette, Joseph-Marcellin *121*
Confucius 28
Constable, John 11
Constantin, empereur 74
Copernic, Nicolas 199
Corot, Jean-Baptiste-Camille *171*, *184*
Corrège, Le 76
Cosimo de' Medici 29, 110
Courbet, Gustave 59, *173*, *223*
Cranach, Lucas (l'Ancien) 29
Crébillon, Claude-Prosper Jolyot de 108
Crivelli, Carlo 26, *81*

d'Agesci, Auguste Bernard *114*
Dante 20, 27, 30, 87, 130
Daumier, Honoré 51, 109
David, Jacques-Louis 160
Davidszoon de Heem, Jan *207*
Davis, John Scarlett 51
Debucourt, Philibert-Louis 109
de Chirico, Giorgio *230*
Defoe, Daniel 42, 43, 45
Degas, Edgar 59, 60, *61*, 129, 133, 137, 171, *179*, 226, *234*
de Hooch, Pieter 226
de Laborde, Le Comte 30
Delacroix, Eugène 58, 59, 133
Delaroche, Paul *131*
de la Tour, Georges *97*
Delaunay, Robert *153*
Denis, Maurice *170*
Derain, André *104*
de Sade, marquis 55
Desboutin, Marcellin 60
Devis, Arthur *164–165*
Diaghilev, Serge 150, 152
Dibdin, Thomas Frognall 55
Dickens, Charles 50, 52, 57, 60
Diderot, Denis 43, 44, 108, 115
Didot, François 45
Diodore 9
D'Israeli, Isaac 56, 198–199
Dostoïevski, Fyodor 57, 66, 235
Dou, Gérard *95*
Dryden, John 37
Duccio 19
Duchamp, Marcel 54, 244
Durand, Guillaume 19
Durante, Castore 209
Duranty, Edmond *234*
Dürer, Albrecht *1*, 22, 29, 31, 32, 36, *88*
Dyce, William 55

Earl, Ralph *216*, *217*
Édouard V, roi (Angleterre) *131*
Edwards, Edward 116
Egg, Augustus Leopold 10, *172*
Éléonore d'Aquitaine 19
Emily, duchesse de Leinster 44
Emin, Tracey 69
Emmanuel de Ghendt 45
Ernst, Max 67
Escher, M. C. 67
Euclide 31, *208*

Fabre, François-Xavier *158*, 160
Fabritius, Carel 58
Facio, Bartolomeo 28
Fantin-Latour, Henri 55
Federico da Montefeltro 26
Fénelon, archevêque 38
Ferdinand II, empereur 221
Fichet, Guillaume 22

Fichte, Johann Gottlieb 42
Filla, Emil 66
Finiguerra, Maso 22
Fiorentino, Rosso (« Il Rosso ») 33, *203*
Fischer, Samuel 64
Fitzgerald, F. Scott 192
Flaubert, Gustave 59
Fonteyn, Pieter *117*
Foppa, Vincenzo *110*, 161
Fox Talbot, William Henry 51–52
Fra Angelico *80*
Fragonard, Jean-Honoré 177
François Ier, roi (France) 33
French, Daniel Chester 199
Fresnaye, Roger de la *154–155*
Freud, Lucian 219 ; Sigmund 64, 230
Freytag, Gustav 56
Frith, William Powell 58, 160–161
Fuseli, Henry 43, 215

Gaddi, Taddeo 38
Gaguin, Robert 22
Galien 27, 133
Gannett, Channing 64
Garnett, Angelica *144* ; David 144
Gauguin, Paul 60, 126, *128*, *233*
Gauthier, Théophile 184
Geffroy, Gustave 177, *237*
George III, roi (Angleterre) 220
Géricault, Théodore 11, 118
Gessner, Conrad 202
Ghiberti, Lorenzo 20
Gide, André 189
Gilbert & George 69
Giorgione 186
Giotto 20, 27, 76
Giovio, Paolo 29, 84, 204
Gleizes, Albert *62*, 64
Gleyre, Charles 229
Goethe, Johann Wolfgang von 46, 58, 89
Goldberg, Fred *192*
Goldoni, Carlo 43
Goldsmith, Oliver 58
Goya, Francisco 67
Grant, Duncan 144, *235*
Greco, Le 36
Greg, W. R. 55
Grégoire le Grand, pape 75
Greuze, Jean-Baptiste *143*
Grigoriev, Boris *142*
Grimm, Herman 32
Grimmelshausen, Hans von 38
Grimou, Alexis 44
Gris, Juan 65, *152*
Guercino *227*
Guizot, François 53
Gutenberg, Johannes 16, 17, 18, 21–22, 28, 31

Hachette, Louis 53
Harris, Robert 69
Haymon d'Halberstadt 18
Hazlitt, William 54, 178
Hazlitt, William Carew 54
Heemskerck, Maarten van *90*
Heinzmann, Johann Georg 45, 46
Héloïse 114
Helvétius, Claude-Adrien 42
Henri, Robert 192
Herkomer, Hubert von 52
Heyden, Jan van der *210*
Heysen, Nora *240*
Hitchcock, George 102, 185
Hogarth, William *120*
Holbein, Hans (le Jeune) 29, 57, 65
Holle, Lienhart 28
Homer 166
Homer, Winslow 53, *182–183*, 189
Hopper, Edward 192, *194–195*
Horace 28
Houbraken, Arnold 32
Hugo, Victor 9, 53, 59, 161
Hugo van der Goes 74, *82*
Hugues de Saint Victor 20
Hunt, Holman 119
Hunt, Leigh 10, 54, 56, 198
Huntington, Henry E. 51
Huxley, Aldous 65

Ingres, Jean-Auguste-Dominique 33, *130*
Irving, Washington 51
Isidore of Seville 75

James, Henry 147
Janouch, Gustav 66
Jiménez y Aranda, José *169*
John, Augustus *175*
John, Gwen *238*
Johnson, Eastman 58, 109
Johnstone, Catherine Laura 52

Kafka, Franz 66–67
Kahnweiler, Daniel-Henry 67, 152
Kant, Immanuel 46, 152, 202
Karamzine, Nikolaï 52
Karpov, Boris 65–66
Kenckel, Caspar *209*
Kieffer, Anselm 68
Kipling, Rudyard 139
Kissinger, Henry 202
Klimt, Ernst 130
Kneller, sir Godfrey *99*
Knox, Vicesimus 44
Koberger, Anton 31
Kokoschka, Oskar 67
Koller, Hugo *236*

La Caze, Louis 226
Lamb, Charles 57
Lambert, George Washington *186–187*
Lami, Eugène 161
Lampsonius, Dominicus 30
Landor, Walter Savage 68
Landseer, Charles 10
Lang, Andrew 57
Lanzi, Luigi 33
Larsson, Carl 64
Lassels, Richard 166
Lavery, sir John *140*, *189*
Lazius, Wolfgang 202
Lega, Silvestro *224*
Léger, Fernand 65, *157*
Léon X, pape 204
Léonard de Vinci 26–27, 33
Lépicié, François-Bernard 219
Leroy, Isidore 52
Lessing, Gotthold Ephraim 57
Lévy, Calmann 53 ; Michel 53 ; Simon 206
Lievens, Jan 38, *95*, 207, *221*
Linnaeus, Carolus 209
Liotard, Jean-Étienne *112*, 113
Livre de Kells 18
Louis XIV, roi (France) 99
Louis XV, roi (France) 42, 108, 112
Louis XVII, roi (France) 131
Luciani, Sebastiano *204*
Ludger tom Ring l'Ancien 86, *196*, 198
Ludwig, Emil 150
Luther, Martin 29, 31, 76, 89, *92–93*

McBride, Henry 244
Machiavel 33, *203*
Maeterlinck, Maurice 232
Magritte, René *246*
Maiano, Benedetto et Giuliano da 27
Mallarmé, Stéphane 58, 152
Malraux, André 27
Manet, Édouard 53, 58, 59, 60, *132*, 133, 160, 171, *174*, *176*, 226, *228*, 234
Mao Zedong 66
Marie Adélaïde 112
Marie Antoinette 47, 131, 216
Marnier, Xavier 54
Martineau, Robert Braithwaite 55, *119*
Martini, Luca 30
Mary, Queen of Scots 131
Masaccio 27
Matisse, Henri 67, 77, 103, 104, *150*, 207
Maupassant, Guy de 206
Maximilian Ier, empereur 32
Maximilian II, empereur 202
Mazarin, cardinal 33
Mejer, Luise 42
Melancthon, Philip 92
Melchers, Gari *102*
Memling, Hans 76
Metius, Adriaan 211
Metsys, Quentin *90*, 199, *205*
Metzinger, Jean 64
Meurent, Victorine 160, 176
Michel-Ange 20, 29, 32, 241
Mill, John Stuart 77
Milton, John 10, 42, 43, 56, 216, 232
Mitchell, Donald Grant 146
Molière 58
Monet, Claude 59, 60, *229*, 237
Montesquieu 43
More, Hannah 44
Moreelse, Paulus *96*
Morisot, Berthe 174, *177*
Moroni, Giovanni Battista *91*
Munch, Edvard *190–191*
Murat, Joachim 167

Napier, Lord Francis 167
Napoléon Bonaparte 50, 59, 150
Neel, Alice *245*
Nekrassov, Nikolaï 65
Nicolai, Christoph Gottlieb 45
Nicolai, Friedrich 46
Nicolas V, pape 76
Nietzsche, Friedrich 102

Olivétan, Pierre-Robert 76
Osgood, John 37

Palmer, Samuel 10
Parodi, Domenico 36
Paxton, William McGregor *147*
Pène du Bois, Guy *193*
Pétrarque 27, 30, 124
Philipe IV, roi (Espagne) 36
Philostrate, Lucius Flavius 27
Picasso, Pablo 65, 67, 103, *156*
Pierre le Vénérable 18
Piranèse 59
Platon 68
Pline l'Ancien 27, 198
Plutarque 27
Poe, Edgar Allan 58, 246
Pompadour, Madame de *40*, 42, 112
Pope, Alexander 65, 99
Poussin, Nicolas 58, 76
Powell, Anthony Dymoke 58
préraphaélites 55, 81
Prior, W. M. 108
Proust, Marcel 69
Pucelle, Jean 21

Quarton, Enguerrand 104

Raimondi, Marcantonio 22
Ramsay, Allan 44
Raphael 22, 33, 55, *85*, 184
Read, Reverend Hollis 182
Redgrave, Samuel 123
Redon, Odilon 229
Rembrandt van Rijn 36, 59, 60, 81, *94*, 199, 207, 221
Renoir, Pierre-Auguste 59, 60, *127*, 129, 134, *229*
Repine, Ilia *8*, 65, 66
Reynolds, sir Joshua 43, 44, 112
Ribera, Jusepe de *208*
Richardson, Jonathan *214*
Richardson, Samuel 10, 43
Richelieu, cardinal 33
Richter, Henry James 53
Ridolfi, Carlo 32
Ripa, Cesare 98
Robert, Hubert 42
Rogier van der Weyden 76, *79*, *83*
Romney, George *125*
Rossetti, Dante Gabriel 130, 199
Rotari, Pietro *113*
Roth, Dieter 67
Rouault, Georges 31
Rousseau, Jean-Jacques 42, 163
Rubens, Pierre Paul 32, 118, 153
Ruscha, Ed 69
Ruskin, John 11, 51, 54, 56–57, 168

Sainte-Beuve, Charles Augustin 53, 59
saints : Agnès 99 ; Augustin 198, 199 ; Bernard 75 ; Catherine d'Alexandrie 76 ; Dionysius 75 ; Dominique 80 ; Étienne *81* ; François d'Assise 198–199 ; Geneviève 74, *82* ; Jean l'Évangéliste 76, 86, 89 ; Jérôme 199, *201* ; Marc 89 ; Paul 75, 89 ; Pierre 89 ; Sylvestre 75
Sand, George 53, 59
Sauerland, Max 64
Sauerwein, Charles D. *146*
Schiele, Egon *236*, *239*
Schiller, Friedrich 46
Schoeffer, Peter 28
Scholz, Georg *101*
Scott, sir Walter 52
Seguier, Frederick Peter 165
Sforza, Francesco 110
Shakespeare, William 11, 52, 58, 131, 200, 216
Shannon, James Jebusa 138, *139*, *185*
Sickert, Walter 144
Silvestre, Théophile 171, 184
Simonide 28
Sisley, Alfred 229
Socrates 200
Spencer, Stanley *105*
Spiegel, Adriaen van der 199
Spinoza, Benedict de 202
Staline, Joseph 65, 150, 202
Steen, Jan 37, *212*
Steer, Philip Wilson *138*
Stein, Gertrude 244
Stettheimer, Florine *244*
Stevens, Alfred *133*, *141*
Stieglitz, Alfred 244
Stilkey, Mike 67
Stolberg, comtesse de 42
Stowe, Harriet Beecher 50
Strachey, James *235*
Stubbs, George 161
Summerell, Hope 10, 69

Tartt, Donna 58
Théodoric le Grand 18
Therbusch, Anna Dorothea *115*
Thomas, Isaiah 29
Thomas, M. Carey 199
Tischbein l'Ancien 123
Tissot, James *178*
Titien 22, 27, 33, 186
Toklas, Alice B. 244
Tolstoï, Nikolaï 10, 66
Tommaso da Modena *14*, 16, 19, 76
Toulmouche, Auguste 56, *225*
Trianon, Henri 134
Troy, Jean-François de 108
Tupper, Martin 10
Turgenev 59
Turner, J. M. W. 51, *222*

Uccello, Paolo 81
Ulrique, Louise 45
Uzanne, Octave 54–55

Valdés Leal, Juan de 38, *39*
Vallès, Jules 223
Vallotton, Félix *2*
Van Dyke, John C. 32
Van Gogh, Vincent *48*, 50, 57, 60, 82, *231*
van Mander, Karel 32
van Rysselberghe, Théo 53, *188*, *232*
Vasari, Giorgio 22, *24*, 26, 28, 29, 30, 31, 32, 58, 79, 80, 199, 202, 241
Velázquez, Diego *34*, 36, 76
Vérard, Antoine 28
Verhaeren, Émile 232
Verhout, Constantin *213*
Vermeer, Johannes 58, *98*, *211*
Verne, Jules 52
Vesalius, Andreas 199, 209
Vespasiano da Bisticci 26
Vigée, Louis 47
Vigée Le Brun, Élisabeth *47*
Villani, Giovanni 27
Virgile 198
Vives, Juan Luis 38
Vollard, Ambroise 31, 67
Voltaire 109, 114
von Plessen, Wolrad 221
von Treitschke, Heinrich 56
Vuillard, Édouard *242–243*

Walpole, sir Robert 120
Walter, Bernhart 31
Ward, Katie 68
Washington, Booker T. 53
Washington, George 51
Watteau, Antoine 215
Wauters, Émile 82
Webster, Noah 45
Wedekind, Frank 244
Weissenburger, Johann 28
Wells, Ida B. 52
West, Benjamin 216
Westall, Richard 56
Whittier, John Greenleaf 58
Wiertz, Antoine *118*
Wilde, Oscar 58
Wilkie, David 51
Willmott, Robert 108
Wilson, Richard *220*
Winckelmann, Johann 214
Windus, Benjamin Godfrey 50–51
Wood, Christopher *151*
Woolf, Virginia 144
Wright of Derby, Joseph 161, *163*, 181
Wyndham, George 222

Yeats, W. B. 69

Zandomeneghi, Federico *129*
Zola, Émile 51, 59, 60, 171, 225, *228*, 231
Zorn, Anders *136*
Zurbarán, Francisco de *111*